Luciana Ziglio
Giovanna Rizzo

Espresso 1

Corso di italiano - Livello A1

Libro dello studente ed esercizi

Alma
Edizioni
Firenze

Per la preziosa collaborazione durante la produzione e sperimentazione del libro ringraziamo le colleghe ed amiche Linda Cusimano, Gabriella De Rossi, Daniela Pecchioli e Mariangela Porta.

Copertina: Detlef Seidensticker e Sergio Segoloni
Disegni: ofczarek!
Layout: Caroline Sieveking
Fotocomposizione e litografie: Design Typo Print

Stampa: la Cittadina - Gianico (BS)
Printed in Italy

ISBN 978-88-8644-029-5

© 2008 Alma Edizioni - Firenze
Prima edizione: 2001
Prima edizione aggiornata: marzo 2008
Ultima ristampa: settembre 2009

Le modifiche apportate in questa edizione aggiornata sono a cura di:
Redazione: Ciro Massimo Naddeo, Euridice Orlandino e Chiara Sandri
Caffè culturali e bilanci: Maria Balì
Grafica: Andrea Caponecchia

Alma Edizioni
viale dei Cadorna, 44
50129 Firenze
Tel. +39 055476644
Fax +39 055473531
alma@almaedizioni.it
www.almaedizioni.it

Certificato PEFC

Questo stampato
è realizzato con
materia prima da
foreste gestite in
maniera sostenibile
e da fonti controllate

PEFC/18-31-151   www.pefc.it

Indice

Introduzione

Cos'è Espresso.

Espresso è un corso di lingua italiana per stranieri diviso in tre livelli (A1, A2 e B1).
Si basa su principi metodologici moderni e innovativi, grazie ai quali lo studente viene messo in grado di comunicare subito con facilità e sicurezza nelle situazioni reali.
Particolare rilievo viene dato allo sviluppo delle capacità comunicative, che sono stimolate attraverso attività vivaci, coinvolgenti ed altamente motivanti, poiché centrate sull'autenticità delle situazioni, sulla varietà e sull'interazione nella classe. Allo stesso tempo, non è trascurata la riflessione grammaticale né mancano momenti di sistematizzazione, di fissazione e di rinforzo dei concetti appresi. Espresso è inoltre ricco di informazioni sulla vita e sulla cultura italiana.
Per la sua chiarezza e sistematicità, Espresso si propone come uno strumento semplice e pratico da usare da parte dell'insegnante.

Com'è strutturato Espresso 1.

Espresso 1 è il primo volume del corso e si rivolge a studenti principianti. Offre materiale didattico per circa 90 ore di corso (più un eserciziario per il lavoro a casa).
È composto da un libro, un CD audio e una guida per l'insegnante.

EDIZIONE AGGIORNATA

In linea con i principi del *Quadro comune europeo di riferimento per le lingue*, questa **edizione aggiornata** è stata arricchita con nuove sezioni di: **approfondimento culturale** (competenza interculturale), **autovalutazione delle competenze e delle strategie di apprendimento** (saper apprendere), **compiti finalizzati all'uso pragmatico della lingua** (saper fare con la lingua). È inoltre stata aggiunta una **griglia di comparazione** tra le competenze previste dal livello A1 del Quadro comune europeo e i contenuti di Espresso 1.

Il libro, che riunisce in un unico volume sia le lezioni per lo studente che gli esercizi, contiene:

◆ 10 unità didattiche (libro dello studente)
◆ 10 capitoli di esercizi (eserciziario)
◆ 4 sezioni di revisione con giochi, approfondimenti culturali e materiali per l'autovalutazione (facciamo il punto)

Il CD audio contiene:
◆ i brani autentici di lingua parlata
◆ gli esercizi di intonazione e pronuncia

La guida per l'insegnante contiene:
◆ l'illustrazione del metodo
◆ le indicazioni per svolgere le lezioni
◆ le chiavi degli esercizi

MATERIALI SUPPLEMENTARI

Completano il corso un libro di **esercizi supplementari** per lo studente, un testo di **attività e giochi supplementari** rivolto all'insegnante ed un'agile **grammatica di consultazione** con regole ed esempi. Sul sito **www.almaedizioni.it** sono inoltre disponibili **materiali supplementari** per gli insegnanti e gli studenti che intendono utilizzare o stanno già utilizzando Espresso: **questionari per l'autovalutazione suddivisi per livello** tradotti in molte lingue, **test di ingresso e di progresso** e **cartine d'Italia** con giochi e attività didattiche.

A studenti e insegnanti auguriamo buon lavoro e buon divertimento con **Espresso**.

Autrici e casa editrice

Primi contatti

 1 Ciao o buongiorno?

CD 1

Guarda le immagini e ascolta.

Buona sera, signora!
Buona sera, dottore!

Ciao, Giorgio!
Ciao, Anna!

Ciao, Paola!
Oh, ciao Francesca!

Buongiorno, professore!
Buongiorno!

Come ci si saluta nei vari momenti della giornata?
Completa la tabella.

Con il "Lei"	_____	_____
Con il "tu"	_____	_____

E 1   *Ascolta un'altra volta e ripeti.*

2 Scusi, Lei come si chiama?

Ascolta i dialoghi e collegali al disegno giusto.

a.
b.
c.
d.

1. ■ Ciao, sono Valeria, e tu come ti chiami?
   ▼ Alberto. E tu?
   ● Io Cecilia.

2. ■ Buongiorno, sono Giovanni Muti.
   ▼ Piacere, Carlo De Giuli.

3. ■ Scusi, Lei come si chiama?
   ▼ Franca Gucci.
   ■ E Lei?
   ● Anch'io mi chiamo Gucci, Paola Gucci.

4. ■ La signora Genovesi ...?
   ▼ Sì, sono io, e Lei è il signor ...?
   ■ Ragazzi. Marcello Ragazzi.

Cosa dici quando...

ti presenti _____

chiedi il nome (con il Lei) _____

chiedi il nome (con il tu) _____

3 Piacere!

In gruppi di due o tre persone preparate un dialogo su uno dei disegni e presentatelo alla classe. Gli altri cercheranno di indovinare di quale situazione si tratta.

	essere	chiamarsi
(io)	sono	mi chiamo
(tu)	sei	ti chiami
(Lei)	è	si chiama

E 2

4 Fare conoscenza

Alzatevi e girate per la classe salutandovi e presentandovi.
Decidete se darvi del tu o del Lei.

 5 «c» come ciao

CD 3

Ascolta le seguenti parole e ripeti.

caffè · Garda · piacere · spaghetti · parmigiano · ciao · arrivederci · zucchero ·
chitarra · gelato · Germania · radicchio · zucchini · Monaco · funghi · formaggio ·
cuoco · buongiorno · prosecco · lago · ragù · cuore

Ordina le parole secondo i seguenti suoni.

[tʃ]   ciao _____

[k]   caffè _____

[dʒ]   gelato _____

[g]   Garda _____

La "c" si pronuncia [tʃ] davanti a _____ e [k] davanti a _____.

La "g" si pronuncia [dʒ] davanti a _____ e [g] davanti a _____.

6 Proviamo a leggere!

CD 4

In coppia, alternandovi, provate a leggere le seguenti parole.
Controllate poi la pronuncia con l'aiuto del CD.

cioccolata · macchina · bicicletta · vigile · valigia · giornale · arancia · chiesa · orologio · chiave

E 3

7 E Lei di dov'è?

CD 5

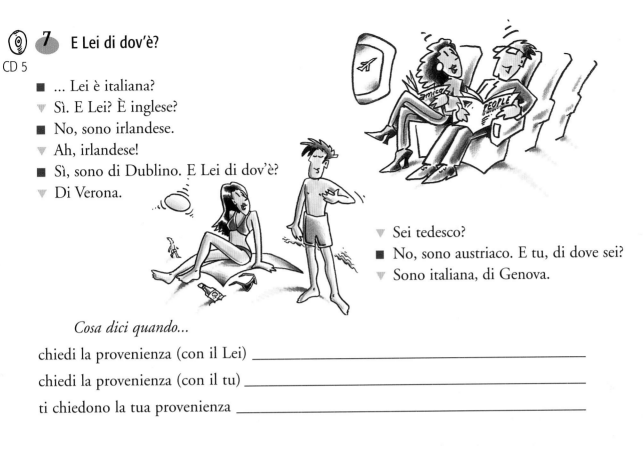

■ ... Lei è italiana?
▼ Sì. E Lei? È inglese?
■ No, sono irlandese.
▼ Ah, irlandese!
■ Sì, sono di Dublino. E Lei di dov'è?
▼ Di Verona.

▼ Sei tedesco?
■ No, sono austriaco. E tu, di dove sei?
▼ Sono italiana, di Genova.

Cosa dici quando...

chiedi la provenienza (con il Lei) _____

chiedi la provenienza (con il tu) _____

ti chiedono la tua provenienza _____

8 Ricostruisci i dialoghi

Completa i dialoghi con le frasi a., b., c.

a. Sì. E Lei è italiana?
b. Io sono italiana. E tu?
c. Sei svizzera?

Leggi. Alla fine puoi aggiungere il nome del tuo Paese e della tua nazionalità.

Italia	italiano	italiana
Germania	tedesco	tedesca
Austria	austriaco	austriaca
Svizzera	svizzero	svizzera
Spagna	spagnolo	spagnola
Inghilterra	inglese	inglese
Irlanda	irlandese	irlandese
Portogallo	portoghese	portoghese
Francia	francese	francese
_____	_____	_____

No, sono austriaca.

1.

Lei è francese?

2.

Io sono tedesco.

3.

E 4·5·6·7

9 Lei è francese?

*A sceglie una città dal primo gruppo, **B** dal secondo. Preparate un dialogo secondo il seguente modello. Prima di cominciare potete scrivere i nomi di altre città.*

A Parigi, Roma, Londra, Berlino (.....................................)
B Madrid, Vienna, Berna, Lisbona (.....................................)

LEI	TU
■ Lei è ...?	■ Sei ...?
▼ Sì, di .../No, sono ..., di ... E Lei, di dov'è?	▼ Sì, di .../No, sono ..., di ... E tu, di dove sei?
■ Sono ..., di ...	■ Sono ..., di ...

10 Tu o Lei?

CD 6

Ascolta i 6 dialoghi e segna con una X se le persone si danno del tu o del Lei.

	1	2	3	4	5	6
tu	☐	☐	☐	☐	☐	☐
Lei	☐	☐	☐	☐	☐	☐

11 Chi è?

La classe viene divisa in due gruppi. Ogni studente scrive il proprio nome su un foglio, poi i fogli vengono raccolti e distribuiti agli studenti dell'altro gruppo. A questo punto ognuno cerca la persona indicata dal foglio e la intervista chiedendo il nome, il Paese e la città di provenienza.

12 Alla fine della lezione

CD 7

Alla fine della lezione saluta i tuoi compagni.

Ciao!

ArrivederLa!

Arrivederci!

Alla prossima volta!

A presto!

A domani!

E 8

E INOLTRE...

CD 8

1 Numeri

Ascolta e ripeti.

2 Che numero è?

Scrivi nel riquadro a sinistra sette numeri a piacere da 0 a 20. Dettali poi al tuo compagno, che li scriverà nel riquadro vuoto a destra. Alla fine confrontate i risultati.

E 9·10

3 Qual è il Suo numero di telefono?

CD 9

■ Qual è il Suo indirizzo?
▼ Via Garibaldi, 22.
■ E il Suo numero di telefono?
▼ 342 67 95. Però ho anche il cellulare: 0347-762 17 82.
■ Come, scusi?
▼ 0347-762 17 82.

Con il "Lei":	Qual è il Suo numero ...?	
	Come, scusi?	
Con il "tu":	Qual è il tuo numero ...?	
	Come, scusa?	

avere	
(io)	ho
(tu)	hai
(Lei)	ha

4 Rubrica telefonica

Che numero di telefono hanno i tuoi compagni di classe?
Fai una lista.

Corso d'italiano

Nome e Cognome   Telefono

E 11·12

Per comunicare

Buongiorno, signora Gucci!
Buona sera, signor Muti!
Ciao, Paolo!

Come ti chiami?/Come si chiama?
(Mi chiamo) …
Piacere.

La signora Cavani?
Sì, sono io.

Di dove sei?/Di dov'è ?
(Sono) di Genova./Sono italiano/-a.

Sei/è spagnolo/-a?
Sì./No, sono portoghese.

Qual è il tuo/il Suo numero di telefono?
Come scusa?/Come scusi?

Qual è il tuo/il Suo indirizzo?
Via/Piazza …, 22.

Arrivederci!/ArrivederLa!
A presto!/A domani!/Ciao!
Alla prossima volta!/Buonanotte!

Grammatica

Presente (singolare)

	essere	avere	chiamarsi
(io)	sono	ho	mi chiamo
(tu)	sei	hai	ti chiami
(Lei)	è	ha	si chiama

La forma di cortesia è "Lei".

Di dove sei? (Sono) di Genova.
Io mi chiamo Dario. E **tu** (come ti chiami)?

*Di solito in italiano i pronomi personali soggetto (**io, tu, lui, lei**, ecc.) non si usano, perché il verbo contiene già l'indicazione della persona. I pronomi si usano solo quando si vuole mettere in evidenza il soggetto o quando manca il verbo.*

Articoli determinativi (singolare)

maschile	femminile
il signore	**la** signora

Aggettivi di nazionalità (singolare)

maschile	femminile
italian**o**	italian**a**
irlandes**e**	irlandes**e**

Gli aggettivi in –o al maschile singolare, prendono la desinenza –a al femminile singolare. Gli aggettivi in –e hanno la stessa desinenza sia al maschile che al femminile singolare.

dottore, professore, signore

Buongiorno, dottore/Buongiorno dottor Visconti.

*Con i nomi propri si dice **dottor** invece di **dottore**, **professor** invece di **professore** e **signor** invece di **signore**.*

Preposizioni

Sono **di** Genova.

Avverbi interrogativi

Come ti chiami?
Di dove sei?
Qual è il tuo numero di telefono?

1

Io e gli altri

1 **Come va?**

Come stanno queste persone? Guarda le immagini e ascolta.

Cosa dici quando chiedi a qualcuno come sta?

Con il "Lei"   _____   _____

Con il "tu"   _____   _____

Scrivi le risposte nell'ordine giusto, dalla più positiva alla più negativa.

+++ _____   + _____

++ _____   - _____

Chiedetevi a vicenda come state.

- ■ Ciao, come va/come stai?
- ▼ (Oggi)...

- ▼ Buongiorno, come va/come sta?
- ■ (Oggi)...

CD 13

2 Piacere

- ■ Buona sera, signora Vinci. Come sta?
- ▼ Bene, grazie. E Lei?
- ■ Non c'è male, grazie.
  Ah, Le presento il signor Lucchetti.
  Signor Lucchetti, la signora Vinci.
- ▼ Piacere.
- ▲ Molto lieto.

> signora Vinci/signor Lucchetti
>
> Le presento **la** signora Vinci/**il** signor Lucchetti.

3 Le presento ...

In gruppi di tre persone preparate un dialogo sul modello dell'esercizio precedente.
Usate i vostri nomi o scegliete dei nomi italiani.

Cesarini   Vannucci   Magoni

Ghezzi   Dolci

Gelli   Giannini   Calabrese

Garibaldi

Chiarini   Ricci   Baggio

Bianchi

Marchesi

Santoro   Castellani

> **piacere/molto lieto** (maschile)
> **piacere/molto lieta** (femminile)

4 Questa è Eva

CD 14

■ Ehi, ciao Guido. Come stai?

▼ Benissimo. E tu?

■ Anch'io, grazie. Senti, questa è Eva,
una mia amica spagnola, di Siviglia.
E questo è Guido, un mio amico.

▼ Ciao!

▲ Piacere!

■ Sai, Eva parla molto bene l'italiano.

▼ Ah, sì? Io invece purtroppo non parlo lo spagnolo!

E 1·2

	stare	parlare
(io)	sto	parlo
(tu)	stai	parli
(lui, lei, Lei)	sta	parla

Io **parlo** lo spagnolo.
Io **non parlo** lo spagnolo.

Quest**o** è un mio amic**o**.
Quest**a** è una mia amic**a**.

2

5 Chi è?

A turno presentate le persone ritratte nelle foto.

Questa è María, una mia amica spagnola di Siviglia.

María – Siviglia Monica – Lugano Peter – Colonia Annie – Nizza Jack – Londra

6 Che lingue parla?

Completate insieme la lista con le lingue che conoscete. Poi lavorate in coppia. Ogni studente sceglie tre lingue dalla lista. Il partner dovrà indovinare quali lingue parla l'altro solo con quattro domande.

- Parli/parla il greco?
- ▼ Sì/no.
- Parli/parla ...?

l'italiano	lo spagnolo
l'olandese	lo svedese
l'inglese	il portoghese
il russo	il tedesco
il francese	_____
il greco	_____

E 3

7 Presentazioni

In gruppi di tre scegliete una delle seguenti situazioni e preparate un dialogo; poi presentatelo alla classe.

Festa
Ad una festa presentate un/una amico/a straniero/a ad un/una italiano/a.

Libreria
Siete in una libreria in compagnia di un amico e incontrate un/una conoscente; presentate le due persone.

8 Che lavoro fa?

Collega le foto ai biglietti da visita.

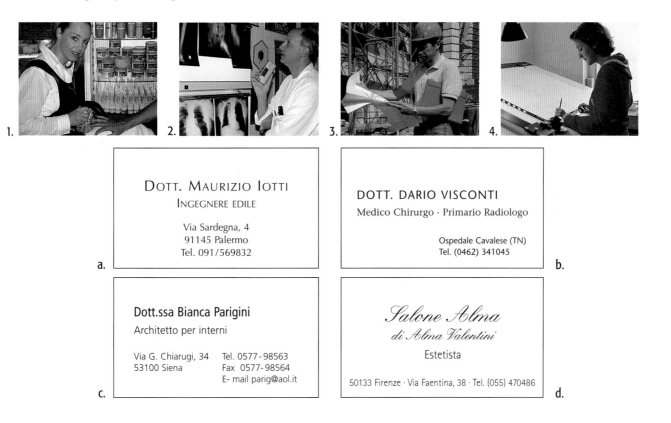

1.   2.   3.   4.

DOTT. MAURIZIO IOTTI
INGEGNERE EDILE

Via Sardegna, 4
91145 Palermo
Tel. 091/569832

a.

DOTT. DARIO VISCONTI
Medico Chirurgo · Primario Radiologo

Ospedale Cavalese (TN)
Tel. (0462) 341045

b.

Dott.ssa Bianca Parigini
Architetto per interni

Via G. Chiarugi, 34   Tel. 0577-98563
53100 Siena   Fax 0577-98564
                  E-mail parig@aol.it

c.

Salone Alma
di Alma Valentini

Estetista

50133 Firenze · Via Faentina, 38 · Tel. (055) 470486

d.

2

9 Faccio la segretaria

CD 15

- Siete di qui?
- ▼ No, siamo di Napoli, ma abitiamo qui a Bologna.
- Ah, di Napoli! E che cosa fate di bello? Studiate?
- ▲ No, io lavoro in una scuola di lingue.
- Sei insegnante?
- ▲ No, faccio la segretaria.
- E tu che lavoro fai?
- ▼ Io sono impiegata in un'agenzia pubblicitaria. E tu dove lavori?
- In uno studio fotografico.

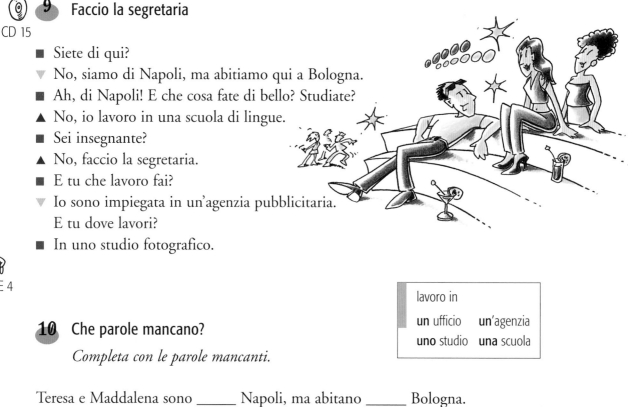

E 4

10 Che parole mancano?

Completa con le parole mancanti.

lavoro in	
un ufficio	**un'**agenzia
uno studio	**una** scuola

Teresa e Maddalena sono _____ Napoli, ma abitano _____ Bologna.

Teresa _____ la segretaria in _____ scuola di lingue. Maddalena _____ impiegata

in _____ agenzia pubblicitaria. Piero invece lavora in _____ studio fotografico.

2

11 Posti di lavoro

Lavorando in piccoli gruppi (3 persone), collegate i posti di lavoro ai disegni.
Vince il gruppo che finisce per primo.

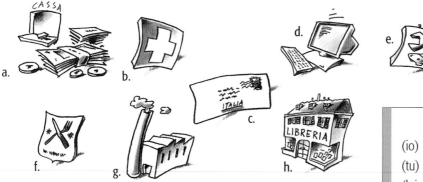

un negozio · un ufficio postale · un ristorante ·
un'officina · una banca · un ufficio ·
una fabbrica · una farmacia

	essere	fare	lavorare
(io)	sono	faccio	lavor**o**
(tu)	sei	fai	lavor**i**
(lui, lei, Lei)	è	fa	lavor**a**
(noi)	siamo	facciamo	lavor**iamo**
(voi)	siete	fate	lavor**ate**
(loro)	sono	fanno	lavor**ano**

12 Chi sono?

Lavorate in coppia. A turno, presentate le persone delle foto, facendo delle frasi come nell'esempio.

Leggi la lista. Alla fine puoi aggiungere il nome del tuo lavoro.

Questo è Francesco, è di Firenze ma abita a Bari, fa l'operaio/è operaio, lavora in una fabbrica.

l'operaio	l'operaia
il commesso	la commessa
l'insegnante	l'insegnante
l'infermiere	l'infermiera
il farmacista	la farmacista
lo studente	la studentessa
_____	_____

E 5·6
7·8

2

Francesco – operaio

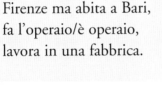

Antonio – farmacista   Patrizia – insegnante   Alberta – infermiera   Luisa – commessa

13 Per conoscerci meglio

Vuoi conoscere meglio i tuoi compagni? Fai a quattro di loro le seguenti domande:

Come ti chiami?   Di dove sei?   Che lavoro fai?

Dove abiti?   Dove lavori?

Ora presenta agli altri una o due delle persone intervistate.

Lui si chiama Pablo Hernandez, è di Siviglia, ma abita a Madrid. Pablo è medico e lavora in un ospedale.

14 Cerco ...

Leggi gli annunci. Chi offre un lavoro?
Chi è la persona giusta per questo lavoro?

Studente austriaco cerca camera in famiglia a Firenze in cambio di conversazione in tedesco ed inglese.

Werner Heider, Tel. 055-87 53 91

Sono brasiliana, abito a Firenze e parlo il portoghese, il francese, lo spagnolo e l'italiano. Cerco lavoro come traduttrice.
Silvia Soares, tel. 055-783429

Mi chiamo Elizabeth. Sono di Boston e studio architettura a Firenze. Parlo bene il francese e cerco un piccolo lavoro. Tel. 055-98 54 61, ore 8.00-10.00

Insegnante con figlio di 3 anni cerca baby-sitter.
Rita Carassini
Tel. ore pasti 055-13 43 65

E 9

15 Una straniera in Italia

CD 16

Ascolta la conversazione tra Valeria, Licia e Franco e segna le risposte esatte.

Valeria è	una collega di Franco.	☐
	un'amica di Franco.	☐
È	spagnola.	☐
	argentina.	☐
È di	Buenos Aires.	☐
	Cordoba.	☐
È ad Urbino	per visitare la città.	☐
	per studiare l'italiano.	☐
Studia l'italiano	per motivi di lavoro e perché ama la lingua.	☐
	perché adesso abita e lavora in Italia.	☐
Licia lavora	in banca.	☐
	in ospedale.	☐
Franco lavora	in banca.	☐
	in proprio.	☐

2

E INOLTRE...

1 I numeri da venti a cento

Completa.

20	venti	29	_____	60	sessanta
21	ventuno	30	trenta	68	_____
22	_____	31	trentuno	70	settanta
23	ventitré	32	trentadue	74	_____
24	_____	35	_____	80	ottanta
25	venticinque	40	quaranta	81	_____
26	_____	46	_____	90	novanta
27	_____	50	cinquanta	93	_____
28	ventotto	57	_____	100	cento

CD 17

Ora ascolta e confronta.

CD 18

2 Che numero è?

Segna i numeri che ascolti.

23		67	
	33	77	91
81	50		24
15		42	5

3 Leggi e completa

Leggi ad alta voce. Quali numeri mancano?

5	15	25	____
10	20	30	____
44	33	22	____
100	90	80	____
50	51	52	____

E 10·11

CD 19

4 Quanti anni ha?

■ Quanti anni ha il figlio di Luisa?
▼ Due.

5 Quanti anni hanno?

Quanti anni ha Nicola?

Nicola

Gino

Franca

Remì

Laura

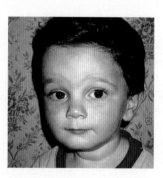
Alessandro

6 Indovina

Pensa ad un numero tra 1 e 100. Questa è la tua età. Un tuo compagno cercherà di indovinare quanti anni hai. Se il numero nominato è minore di' "di più", se è maggiore di' "di meno".

■ Quanti anni hai/ha?
▼ Indovina.
■ 30?
▼ No, di più/di meno.

E 12·13·14
15·16

Per comunicare

Come stai?/Come sta?/Come va?
Benissimo./Bene./Non c'è male./Male.

Oggi sto male.
Oh, mi dispiace.

Le presento …/Questo è …/Questa è …
Piacere./Molto lieto./Molto lieta.

Che lavoro fai/fa?/Che cosa fai/fa?
Sono …/Faccio il/la …

Dove lavori/lavora?
In una scuola. In un ospedale …

Dove abiti/abita?
(Abito) in … (Paese), a … (città).

(Tu) sei di qui?/(Lei) è di qui?
Sì./No, sono di …

Quanti anni hai?/ha?
Venti. Sessantadue. Quarantotto …

Grammatica

Articoli determinativi (singolare)

	maschile	femminile
(davanti a consonante)	il signore	la signora
(davanti a vocale)	l' amico	l' amica
(davanti a s + consonante)	lo straniero	la straniera

Il nome (singolare)

maschile	femminile
amico	amica
insegnante	insegnante

In italiano ci sono solo due generi: il maschile e il femminile. Di solito i nomi in −o sono maschili, i nomi in −a sono femminili. Ci sono però delle eccezioni: es. il collega, il farmacista (maschili). I nomi in −e possono essere maschili o femminili.

questo – questa

Questo è Carlo.   **Questa** è Carla.

Questo e questa si concordano con il genere della persona o della cosa cui si riferiscono.

L'età

Quanti anni hai? – (Ho) 45 (anni).

L'età si esprime con il verbo avere.

Articoli indeterminativi

	maschile	femminile
(davanti a consonante)	un commesso	una commessa
(davanti a vocale)	un impiegato	un' impiegata
(davanti a s + consonante)	uno straniero	una straniera

La negazione

Sei inglese? **No**, sono americano.
Non parlo il russo.

"Non" è sempre in combinazione con un verbo.

Le preposizioni

Abito **a** Bologna (città).
Abito **in** Italia (Paese).
Lavoro **in** banca/**in** ospedale/**in** proprio.

Gli interrogativi

Chi è? – Pedro, un mio amico spagnolo.
Che lingue parli? / **Che** lavoro fai?
Dove lavori?
Quanti anni hai?

2

Facciamo il punto
Gioco

Si gioca in gruppi di 3 – 5 persone con 1 dado e pedine. A turno i giocatori lanciano il dado e avanzano con la loro pedina di tante caselle quanti sono i punti indicati sul dado. Arrivati sulla casella svolgono i compiti segnati. Se si arriva a una casella con la scaletta si sale o si scende, avanzando o retrocedendo. Se si arriva a una casella con il simbolo del sorriso si va avanti di tre caselle. Se il compito non è svolto correttamente si retrocede di una casella. In quest'ultimo caso però, se si arriva in una casella con le scalette, non si avanza né si retrocede. Vince chi arriva prima al traguardo.

Caffè culturale

Notizie sull'Italia

a. Che cosa sai dell'Italia? Prova a fare delle ipotesi e scegli i dati che ritieni corretti.

Abitanti: (circa)

☐ 49 milioni ☐ 59 milioni ☐ 32 milioni

Regioni:

☐ 15 ☐ 20 ☐ 27

Lingue parlate oltre all'italiano:

☐ francese ☐ inglese ☐ spagnolo

☐ tedesco ☐ ladino ☐ sloveno

b. Completa la mappa con i dati seguenti:

Mar Tirreno **Valle d'Aosta** **Lazio**

Mar Jonio **Veneto** **Sardegna** **Svizzera**

c. Confronta le risposte con un compagno e poi leggi il testo per verificare se le ipotesi sono corrette.

L'Italia

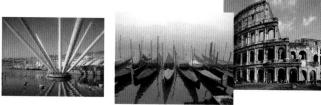

L'Italia, definita anche "stivale" per la sua forma, si estende su un territorio di 301.333 kmq e ha una popolazione di circa 59 milioni di abitanti. Ha come confine terrestre l'arco alpino compreso tra il fiume Varo (presso Nizza) e il Passo di Vrata (presso Fiume) e lungo questo arco, confina a ovest con la Francia, a nord con la Svizzera e l'Austria, a est con la Slovenia. Penisola protesa nel Mediterraneo, l'Italia è circondata a nord-ovest dal Mar Ligure, a ovest dal Mar Tirreno, a sud dal Mar Jonio e ad est dal Mare Adriatico. Del suo territorio fanno parte molte isole: la Sicilia e la Sardegna e numerosi arcipelaghi minori. Il territorio è ripartito in venti Regioni, e comunemente si divide in Italia settentrionale (Piemonte, Valle d'Aosta, Lombardia, Trentino Alto-Adige, Veneto, Friuli-Venezia Giulia, Liguria ed Emilia Romagna); Italia centrale (Toscana, Umbria, Lazio, Marche, Abruzzo, Molise e Sardegna) e Italia meridionale (Campania, Puglia, Basilicata, Calabria e Sicilia). La capitale è Roma (nel Lazio). Oltre all'italiano, lingua ufficiale del Paese, in Italia si parla: il francese, il tedesco, il ladino, il sardo e lo sloveno.

da www.esteri.it

Bilancio

Dopo queste lezioni, che cosa so fare?

Parlare di me
(nome, età, provenienza, professione, studi) ☐ ☐ ☐

Salutare e chiedere a qualcuno come sta ☐ ☐ ☐

Presentare qualcuno ☐ ☐ ☐

Fare una breve conversazione ☐ ☐ ☐

Parlare delle mie conoscenze linguistiche ☐ ☐ ☐

Ringraziare ☐ ☐ ☐

Usare un registro formale ☐ ☐ ☐

Cose nuove che ho imparato

10 parole o espressioni che mi sembrano importanti:

Una cosa particolarmente difficile:

Una curiosità sull'Italia e gli italiani:

Le mie strategie

Capire gli altri

1. Sono a una festa e un ragazzo italiano si presenta e inizia a parlarmi molto velocemente; io non capisco perfettamente cosa dice e…

   a. faccio finta di capire e dico sempre "sì, sì"; ☐

   b. mi sento in imbarazzo e scoraggiato; cerco di concludere subito la conversazione; ☐

   c. chiedo continuamente "puoi ripetere?", "che significa?"; ☐

   d. uso un dizionario per cercare tutte le parole che non capisco; ☐

   e. gli chiedo di parlare più lentamente; ☐

   f. gli chiedo di parlarmi in inglese o in un'altra lingua che conosco; ☐

   g. gli chiedo di mimare quello che non capisco. ☐

2. Secondo te quali sono le strategie di maggior successo in questa situazione e perché?
   Discutine con un compagno.

Mi metto alla prova!

È il primo giorno di un corso di italiano. Scrivi un piccolo testo per presentarti alla classe.

Buon appetito!

1 Che bevande sono?

Come si chiamano queste bevande in italiano? Scrivi i nomi sotto ai disegni.

l'aranciata · l'aperitivo · il bicchiere di latte · l'acqua minerale ·
lo spumante · la spremuta di pompelmo · il cappuccino · la birra

2 Conosci il nome di altre bevande?

Conosci altre bevande italiane? Scrivi il nome qui sotto.

E 1

3 In un bar

- I signori desiderano?
- ▼ Io prendo un cornetto e un caffè macchiato.
- E Lei, signora?
- ◆ Anch'io vorrei un cornetto e poi ... un tè al limone.
- I cornetti con la crema o con la marmellata?
- ◆ Mmm ... con la crema.
- ▼ Per me invece con la marmellata.
- E Lei che cosa prende?
- ▲ Mmm, solo un tè al latte.
- Bene, allora due cornetti, due tè e un macchiato.

Che cosa prendono da mangiare? _____

E da bere? _____

	prend**ere**
(io)	prend**o**
(tu)	prend**i**
(lui, lei, Lei)	prend**e**
(noi)	prend**iamo**
(voi)	prend**ete**
(loro)	prend**ono**

E 2·3

un cornett*o*	due cornett*i*
un aperitiv*o*	due aperitiv*i*
un caff*è*	due caff*è*
un toas*t*	due toas*t*
una spremut*a*	due spremut*e*
un'aranciat*a*	due aranciat*e*

4 Completa

Come si può fare un'ordinazione?
Scrivi le espressioni usate nel dialogo.

a. ....

b. ....

c. ....

toast

tramezzino

gelato

pizza

5 I signori desiderano?

Adesso tocca a voi. In tre rappresentate questa situazione.

- I signori desiderano?
- ▼ Io prendo ...
- ◆ Ah, anch'io ...
- Bene, allora due ...

paste

panino imbottito

6 Quali piatti conosci?

Quali piatti del menù conosci?
Quali prepari anche a casa?

Ristorante *Buca Lapi*

Menù a prezzo fisso
€ 20

Antipasti
Affettati misti
Pomodori ripieni
Bruschette
Insalata di mare

Primi piatti
Tortellini in brodo
Tagliatelle ai porcini
Lasagne al forno
Risotto ai funghi
Minestrone
Spaghetti ai frutti di mare
Spaghetti al pomodoro

Secondi piatti
Carne
Cotoletta alla milanese
Braciola di maiale ai ferri
Pollo allo spiedo
Arrosto di vitello
Pesce
Trota alla mugnaia
Sogliola

Contorni
Insalata mista
Patatine fritte
Purè di patate
Spinaci al burro
Peperoni alla griglia

Dessert
Frutta fresca
Macedonia
Fragole
Gelato
Panna cotta
Tiramisù

7 In trattoria

CD 24

Ecco l'ordinazione che ha preso il cameriere.
Cosa è giusto e cosa è sbagliato? Ascolta il dialogo e decidi.

	sì	no
2 spaghetti	☐	☐
1 cotoletta + pat.	☐	☐
1 litro rosso	☐	☐
1/2 miner. gasata	☐	☐
1 coca	☐	☐

■ Buongiorno signora, vuole il menù?

▼ No, grazie, vorrei solo un primo. Che cosa avete oggi?

■ Spaghetti ai frutti di mare, tagliatelle ai porcini, tortellini in brodo, minestra di fagioli ...

▼ Ah, va bene così, per me gli spaghetti.

■ E per il ragazzo?

▼ Vuoi anche tu la pasta o preferisci qualcos'altro?

◆ Mm, una cotoletta con le patatine fritte.

■ E da bere?

▼ Un quarto di vino rosso e mezza minerale, per piacere.

■ Gasata o naturale?

▼ Naturale. E tu ... che cosa vuoi?

◆ Ehm ... una coca ... senza ghiaccio.

	volere	preferire
(io)	voglio	preferisco
(tu)	vuoi	preferisci
(lui, lei, Lei)	vuole	preferisce
(noi)	vogliamo	preferiamo
(voi)	volete	preferite
(loro)	vogliono	preferiscono

E 4·5·6

Completa i verbi con le desinenze giuste.

La signora e il ragazzo non vogl_____ l'antipasto. Lei pref_____ solo un primo e pren_____ gli spaghetti ai frutti di mare. Lui invece vuo_____ una cotoletta con le patatine fritte. Da bere prend_____ una coca, un quarto di vino rosso e mezza minerale.

8 **Carne o pesce?**

Cosa preferite? Scambiatevi delle domande.

il gelato	i gelati
lo spumante	gli spumanti
l'antipasto	gli antipasti
la pizza	le pizze
l'insalata	le insalate

Preferisci / Preferisce la carne o il pesce?

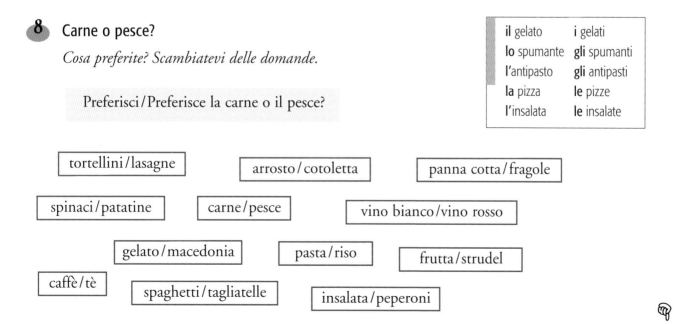

| tortellini / lasagne |

| arrosto / cotoletta |

| panna cotta / fragole |

| spinaci / patatine |

| carne / pesce |

| vino bianco / vino rosso |

| gelato / macedonia |

| pasta / riso |

| frutta / strudel |

| caffè / tè |

| spaghetti / tagliatelle |

| insalata / peperoni |

E 7

9 | **Al ristorante**

In piccoli gruppi rappresentate una scenetta al ristorante.
I "clienti" ordinano e il "cameriere" prende le ordinazioni.
Usate il menù di pagina 30.

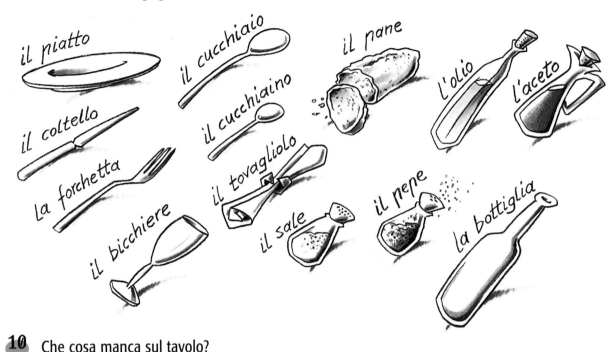

E 8

10 | **Che cosa manca sul tavolo?**

Formate due gruppi. Coprite prima il tavolo di destra e guardate quello di sinistra
per 30 secondi. Poi coprite il tavolo di sinistra e guardate che cosa manca
su quello di destra. Vince il gruppo che trova più oggetti mancanti.

Sul tavolo n. 2 mancano ...

11 Il conto, per favore!

CD 25

Ascolta il dialogo e completalo con le seguenti parole.

Scusi!

per cortesia

per favore

grazie

grazie

Sì, dica!

■ _____

▼ _____

■ Mi porta ancora mezza minerale,

_____?

▼ Certo, signora. Desidera ancora qualcos'altro?
Come dessert abbiamo gelato, macedonia,
frutta fresca o il tiramisù, molto buono.

■ No, _____, va bene così. Ah, un momento,
magari un caffè!

▼ Corretto?

■ Sì, _____. E poi il conto, _____.

▼ D'accordo.

*In coppia, leggete il dialogo prima con le parole da voi inserite e poi senza. Che funzione
hanno queste espressioni?*

E 9 · 10

12 Ancora qualcosa ...

*Fate una scena al ristorante, seguendo queste
indicazioni.*

	mezza minerale?
Mi porta ancora	un po' di pane?
	un tovagliolo?

A = Cliente

B = Cameriere

A chiama il cameriere

B risponde

A dice che vuole un po' di pane

B risponde e chiede se A desidera qualcos'altro

A dice di no, ma poi ordina una birra
e chiede il conto

B risponde

13 In che locale mangiano?

Leggi velocemente gli annunci e collegali alle seguenti persone.

a. Teresa preferisce la cucina esotica.
b. Emilio fuma.
c. Andrea ama i piatti tipici regionali.
d. Ada vuole fare una festa in un ristorante per circa cinquanta persone.

☐ RISTORANTE CINESE
Fiore d'Oriente
Via S. Maria 131 · Riva del Garda · Tel. 0464/430547

☐ **Ristorante** **Novecento** ★★★★
Corso Rosmini, 82/D – Rovereto
Tel. 0464/432678
Grande scelta insalate di fantasia
e vini al bicchiere.
Sala banchetti fino a 180 persone.
Veranda all'aperto

☐ Ristorante *Morelli*
Cucina pugliese
(Domenica cucina trentina)
Pasta fatta in casa
È gradita la prenotazione
Chiuso Martedì

☐ Ristorante Pizzeria **TRE PINI**
A richiesta menù di pesce – Pizze anche a mezzogiorno
Menù del giorno €15 – Giorno di chiusura Martedì
Rovereto – Mori Ferrovia – Tel. 0464 / 480833

☐ Ristorante - Pizzeria - Caffè
Sala fumatori · Locale climatizzato
Chiuso Domenica e Sabato a mezzogiorno
Trento, Via Milano 148, Telefono 0461/237489

E tu, quale ristorante preferisci?

E 11

14 Un invito a cena

Gigi ed Anna hanno ospiti a cena e preparano un menù.
Ascolta il dialogo e segna i piatti che nominano.

arrosto	☐	gelato	☐	pere cotte	☐
carote	☐	insalata	☐	petti di pollo	☐
cotolette	☐	macedonia	☐	purè di patate	☐
formaggio	☐	melanzane alla parmigiana	☐	risotto ai funghi	☐
frittata con le zucchine	☐	minestrone	☐	spaghetti	☐
frutta fresca	☐	mozzarella	☐	tortellini in brodo	☐

Ascolta di nuovo il dialogo e segna l'espressione giusta.

Fausto non mangia
- il pesce. ☐
- la carne. ☐
- il formaggio. ☐

Gigi non mangia
- il pesce. ☐
- la carne. ☐
- il formaggio. ☐

Anna e Gigi
- hanno tempo ☐ per cucinare.
- non hanno molto tempo ☐

Anna e Gigi alla fine
- sono d'accordo. ☐
- non sono d'accordo. ☐

3

15 Stasera facciamo ...

Scrivi il menù che consiglieresti a Gigi ed Anna.

Antipasto:

Primo:

Secondo:

Contorno:

Dessert:

E INOLTRE...

CD 27

1 È possibile prenotare un tavolo?

- ■ Ristorante Roma, buongiorno.
- ▼ Buongiorno. Scusi, è possibile prenotare un tavolo per le otto?
- ■ Certo. Per quante persone?
- ▼ Sei, forse sette.
- ■ D'accordo. E a che nome?
- ▼ Lochmann.
- ■ Come, scusi?

- ▼ Lochmann, elle – o – ci – acca – emme – a – enne – enne.
- ■ Ah, va bene.
- ▼ Grazie mille.
- ■ Prego, si figuri! A più tardi.
- ▼ Arrivederci.
- ■ Arrivederci.

per le otto / per l'una

2 L'alfabeto

CD 28

Ascolta e ripeti.

A		E		I		O				lettere straniere
B bi		F effe		L elle		P pi				J i lunga
C ci		G gi		M emme		Q cu		U		K kappa
D di		H acca		N enne		R erre		V vi/vu		W doppia vu
								S esse		Z zeta		X ics
								T ti				Y ipsilon

3 Il personaggio misterioso

CD 29

Ascolta il CD e scrivi le lettere. Avrai i nomi di alcuni italiani famosi.

1. _____ 2. _____ 3. _____ 4. _____

4 Tavolo riservato

In coppia con un/una compagno/a, prenota telefonicamente un tavolo in un ristorante.
Fai lo spelling del tuo nome (inventato) e poi controlla se il/la tuo/a compagno/a
lo ha scritto bene.

E 12·13

Per comunicare

Cosa desidera?/I signori desiderano?
Io prendo un …/Per me un …/Vorrei un …
E da bere?
Un … per cortesia/per favore/per piacere.

Vuole il menù?
No, grazie. Vorrei solo un primo/un secondo.
Sì, grazie.

Desidera ancora qualcos'altro ?
Sì, grazie. Che cosa avete oggi?
No, grazie, va bene così.

Scusi, mi porta ancora mezza minerale/
un po' di pane/un tovagliolo?
E poi il conto, per cortesia.

È possibile prenotare un tavolo?

Grazie mille!
Prego, si figuri!

Grammatica

Articoli determinativi

	maschile		femminile	
	singolare	plurale	singolare	plurale
(davanti a consonante)	**il** gelato	**i** gelati	**la** pizza	**le** pizze
(davanti a vocale)	**l'** antipasto	**gli** antipasti	**l'** insalata	**le** insalate
(davanti a s + consonante)	**lo** spumante	**gli** spumanti		

Il plurale dei nomi

	singolare	plurale
maschile	l'aperitivo	gli aperitivi
	il bicchiere	i bicchieri
femminile	la bevanda	le bevande
	la carne	le carni
ma:	il tè	i tè
	la specialità	le specialità
	il toast	i toast

I nomi maschili in –o ed –e hanno il plurale in –i; i nomi femminili in –a hanno il plurale in –e; i nomi femminili in –e hanno il plurale in –i. Eccezione: tutti i nomi (sia maschili che femminili) con accento sull'ultima sillaba (es. tè, specialità) o che terminano per consonante (es. toast) al plurale rimangono invariati.

no grazie/sì grazie

Prende un caffè?   **No, grazie**
Volete il menù?   **Sì, grazie**

bene – buono

Eva parla **bene** l'italiano.
Qui il gelato è molto **buono**.

Bene *è un avverbio e si riferisce sempre ad un verbo (qui si mangia bene, si beve bene);* **buono** *è un aggettivo e si riferisce sempre ad un oggetto.*

Gli interrogativi

(Che) **cosa** avete oggi?
Quali piatti conoscete?
Per **quante** persone?

3

Tempo libero

1 Che cosa fanno?

Scrivi accanto al disegno il numero corrispondente all'attività.

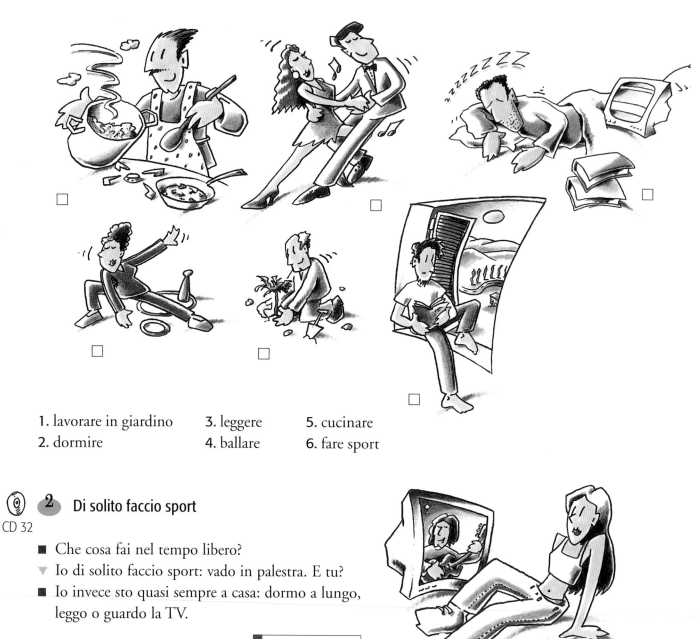

1. lavorare in giardino
2. dormire
3. leggere
4. ballare
5. cucinare
6. fare sport

2 Di solito faccio sport

CD 32

- Che cosa fai nel tempo libero?
- ▼ Io di solito faccio sport: vado in palestra. E tu?
- Io invece sto quasi sempre a casa: dormo a lungo, leggo o guardo la TV.

di solito

quasi sempre

E 1

3 E voi che cosa fate di solito nel tempo libero?

Che cosa fate voi nel tempo libero? Fatevi delle domande.

◆ Che cosa fai/fa nel tempo libero?
▲ Io di solito ... E tu/E Lei ...?

	dormire	andare	giocare	leggere
(io)	dormo	vado	gioco	leggo
(tu)	dormi	vai	giochi	leggi
(lui, lei, Lei)	dorme	va	gioca	legge
(noi)	dormiamo	andiamo	giochiamo	leggiamo
(voi)	dormite	andate	giocate	leggete
(loro)	dormono	vanno	giocano	leggono

andare al cinema

navigare su Internet

giocare a tennis

fare una passeggiata

E 2

fare la spesa

ascoltare musica

andare in bicicletta

giocare a carte

4 Cerca una persona che ...

Intervista i tuoi compagni. Ad ogni persona puoi fare al massimo due domande.
Vince chi per primo completa la lista.

Tu giochi a tennis nel tempo libero?
Lei gioca a tennis nel tempo libero?

	nome
gioca a tennis	
va in bicicletta	
naviga su Internet	
cucina	
fa sport	

	nome
lavora in giardino	
ascolta musica	
gioca a carte	
fa yoga	
legge il giornale	

5 **Che cosa fai il fine settimana?**

CD 33

■ Che cosa fai il fine settimana?

▼ Mah, il sabato sera esco sempre con gli amici.
Andiamo spesso in discoteca. E tu, che cosa fai?

■ Anch'io esco con gli amici, ma non andiamo mai
a ballare. Spesso mangiamo una pizza insieme
e qualche volta andiamo al cinema.

E 3

	uscire
(io)	esco
(tu)	esci
(lui, lei, Lei)	esce
(noi)	usciamo
(voi)	uscite
(loro)	escono

sempre
spesso
qualche volta
non ... mai

6 **Sempre, spesso o mai?**

Scrivi con che frequenza fai queste attività.

fare ginnastica	Non faccio mai ginnastica.
cucinare	
guardare la TV	
mangiare fuori	
andare a teatro	
fare la spesa	
uscire con gli amici	
andare a sciare	

*Confronta le tue frasi con quelle di un/una compagno/a. Ci sono delle attività che fate
con la stessa frequenza? Segnatele e poi riferite a tutta la classe.*

Noi due non andiamo mai in discoteca.

7 L'italiano per studenti – vuoi corrispondere?

Leggi i testi e rispondi alle domande.

Nome: Adam
Cognome: Banks
Età: 30
Indirizzo: Liverpool (GB)
E-mail: abanks@yahoo.uk
Professione: insegnante

Descrizione personale: Insegno matematica e studio l'italiano da sei mesi. Nel tempo libero vado in piscina, gioco a calcio, faccio passeggiate, oppure suono il basso o il pianoforte. Amo molto la cucina italiana.

Nome: Erika
Cognome: Reich
Età: 25
Indirizzo: Ungheria (Budapest)
E-mail: ereich@mail.com
Professione: studentessa

Descrizione personale: Sono ungherese e studio economia. Mi piace ballare, viaggiare, andare al cinema. Studio la lingua italiana perché amo l'Italia. Vorrei corrispondere con studenti italiani.

Nome: Jowita
Cognome: Pawowska
Età: 24
Indirizzo: Polonia
E-mail: everde@renet.pl
Professione: impiegata

Descrizione personale: Studio la lingua italiana per lavoro. Vorrei corrispondere con altre persone che imparano l'italiano. Nel tempo libero faccio sport, leggo libri, ascolto musica. Mi piacciono moltissimo le canzoni di Eros Ramazzotti. Vi prego di scrivermi. Grazie.

> giocare a calcio
> suonare il pianoforte

4

	Adam	Erika	Jowita
Chi lavora?	☐	☐	☐
Chi fa sport?	☐	☐	☐
Chi suona uno strumento?	☐	☐	☐
Chi ama la musica italiana?	☐	☐	☐
Chi viaggia volentieri?	☐	☐	☐
Chi studia l'italiano da poco tempo?	☐	☐	☐
Chi studia l'italiano per lavoro?	☐	☐	☐

Cosa dici

per esprimere un gusto _____

per esprimere un desiderio _____

E 4·5·6

8 Conoscenze via Internet

Anche tu cerchi amici su Internet.
Scrivi una e-mail.

> Mi *piace* leggere.
> Mi *piace* la musica italiana.
> Mi *piacciono* le canzoni italiane.

CD 34

9 Fra amici

Ascolta e completa il dialogo con le parole scritte a destra.

■ Allora, Patrizia, cosa fai domani sera?
▼ Mah, forse vado in discoteca con Guido ...
■ Ah, _____ ballare?
▼ Sì, tantissimo. _____ soprattutto i balli sudamericani.
  E tu? Che cosa fai?
■ Domani vado all'opera.
▼ Oddio!
■ Beh, perché?
▼ Io _____ l'opera.
■ Veramente? _____ invece _____ moltissimo.

piace

Mi piacciono

ti piace   odio

A me

4

E 7

Che gusti hanno Patrizia e Silvio?
Forma delle frasi.

A Patrizia ⟶ piace   i balli sudamericani.
A Silvio   non piace ⟶ l'opera.
Patrizia   piacciono   ballare.
Silvio   odia   all'opera.
              va volentieri in discoteca.

10 Le piace ...?

Intervista un compagno. Scopri i suoi gusti.

■ Ti piace/ti piacciono ... ?   ◆ No, non molto./No, affatto./No, per niente.
◆ Le piace/Le piacciono ... ?   ■ Sì, moltissimo./Sì, molto.

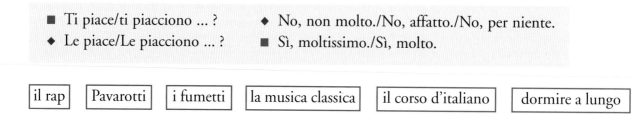

| il rap | Pavarotti | i fumetti | la musica classica | il corso d'italiano | dormire a lungo |

| cucinare | i libri di fantascienza | l'arte moderna | leggere a letto | i film gialli |

11 Anche a me!

Parla ad un compagno dei tuoi gusti e poi chiedi la sua opinione.
Il tuo partner deve esprimere il suo accordo o il suo disaccordo. Poi cambiate i ruoli.

- A me piace/piacciono ...
  E a te?/E a Lei?
  ▼ Anche a me./A me invece no.

- A me non piace/non piacciono ...
  E a te?/E a Lei?
  ▼ Neanche a me./A me invece sì.

E 8

12 Indovina chi è!

Scrivete su un foglietto le frasi qui sotto e completatele. Raccogliete poi i fogli,
mischiateli e ridistribuiteli. A turno ogni studente legge ad alta voce le frasi ricevute.
Gli altri cercano di indovinare chi ne è l'autore. Chi indovina riceve un punto.

Amo …

Mi piace /mi piacciono (moltissimo) …

Non mi piace /non mi piacciono (per niente) …

Odio …

13 I giovani e la discoteca

CD 35

Ascolta l'intervista e segna le informazioni esatte.

Cristian ...

abita →	in discoteca.	☐	a Oderzo.	☐	a Treviso. ☐
il fine settimana →	lavora.	☐	sta a casa.	☐	va in discoteca. ☐
durante la settimana ➤	lavora molto.	☐	non lavora.	☐	lavora poco. ☐

In discoteca

a Cristian piace →	la musica.	☐	la gente.	☐	ballare. ☐

Monica ...

ha →	22 anni.	☐	23 anni.	☐	32 anni. ☐
lavora come →	barista.	☐	estetista.	☐	farmacista. ☐
va in discoteca →	sempre con amici. ☐	sempre da sola.	☐	da sola o con amici. ☐

E 9

E INOLTRE...

 1 Che ora è? Che ore sono?

CD 36

È l'una.

Sono le due.

Sono le due
e un quarto.

Sono le due
e venticinque.

Sono le due e trenta./
Sono le due e mezza.

Sono le tre
meno venti.

Sono le tre
meno un quarto.

È mezzogiorno.
È mezzanotte.

2 E adesso che ore sono?

Scrivi l'ora.

_____ _____ _____ _____

3 Scusi, sa che ore sono?

CD 37

Collega l'orologio al dialogo.

□   □   □   □

E 10·11

Per comunicare

Che cosa fai / fa nel tempo libero?
Di solito faccio sport / guardo la TV / leggo …
Anch'io. / Io invece …

Ti / Le piace la cucina italiana / cucinare?
Ti / Le piacciono i film gialli?
Sì, moltissimo. / Sì, molto. / No, non molto. /
No, per niente.

A me piace l'arte moderna.
Anche a me. / A me invece no.

A me non piace (per niente) la musica classica.
Neanche a me. / A me invece sì.

Studio l'italiano per lavoro / perché amo l'Italia.

Scusi, che ora è? / che ore sono?
È mezzanotte. / È mezzogiorno. / È l'una. / Sono le due.

Grammatica

Avverbi di frequenza

Di solito la sera guardo la TV.
Esco **sempre** con gli amici.
Spesso mangio fuori. / Mangio **spesso** fuori.
Qualche volta vado al cinema.
Non vado **mai** a sciare.

*Mai è sempre unito a **non** con questa costruzione: **non** +
verbo + **mai**.*

Preposizioni

Vado **in** palestra / **in** giardino / **in** discoteca / **in** piscina /
in bicicletta.
Dormo **a** lungo. / Sto **a** casa. / Gioco **a** tennis. /
Vado **a** ballare. / Vado **a** teatro.
Esco **con** gli amici.

Attenzione alla preposizione unita all'articolo:
vado **al** cinema / vado **all'**opera
al = a + il
all' = a + l'

Preposizioni di luogo

Sono **in** palestra. / Vado **in** palestra.
Sono **a** casa. / Vado **a** casa.
Sono **al** cinema. / Vado **al** cinema.

*In italiano si usano le stesse preposizioni con i verbi di
stato e con i verbi di movimento.*

Pronomi indiretti singolari (tonici e atoni)

atoni	
	mi piace sciare.
(Non)	**ti** piace il corso d' italiano?
	Le piace navigare su Internet?
tonici	
A me (non) piace sciare.	
A te (non) piace il corso d'italiano?	
A Lei (non) piace navigare su Internet?	

*In italiano ci sono pronomi indiretti atoni (**mi, ti, Le**) e
tonici (**a me, a te, a Lei**). Questi vanno sempre prima
del verbo. La negazione **non** si mette prima dei pronomi
atoni e dopo i pronomi tonici.*

A me non piace sciare. E **a te**?

*Il pronome tonico si usa quando si vuole mettere in
risalto un complemento o un'azione e per rilanciare una
domanda.*

Gli interrogativi

Perché studi l'italiano?

In albergo

1 Che cosa significa?

Collega le parole ai disegni.

frigobar ☐   bagno ☐   parcheggio ☐

camera singola ☐   cani ammessi ☐

doccia ☐   camera matrimoniale ☐

2 L'albergo ideale

Leggi le descrizioni degli alberghi e rispondi alle domande di pag. 47.

Firenze

Residenza Apostoli
Borgo Santi Apostoli, 8
50123 FIRENZE
Tel. 055/288 432 Fax 055/268 790

In posizione ottimale per visitare
la città a piedi e fare compere in
centro. 10 camere doppie o matri-
moniali, 1 tripla e 1 singola, tutte
con bagno e aria condizionata.
Bambini sotto i due anni gratis.
Doppia   € 120
Singola   € 114
Tripla   € 145

Villa Carlotta
Via Michele di Lando, 3
50125 FIRENZE
Tel. 055/233 6134 Fax 055/2336147

Tra il Giardino di Boboli e Palazzo
Pitti. 32 camere con bagno o
doccia, telefono, TV e frigobar.
Giardino. Ristorante. Cucina toscana
e internazionale. Parcheggio privato.
Cani ammessi.
Camera Doppia   € 240
Camera Singola € 170

**Istituto suore di
Santa Elisabetta**
Viale Michelangiolo, 46
50125 FIRENZE
Tel. 055/68 118 84

Elegante villa in un quartiere
residenziale. 35 camere singole,
doppie e triple, alcune con bagno.
Colazione compresa. € 30 a
persona. Orario di rientro: ore
22.00. Parcheggio, sala TV, sala
riunioni, cappella. Aperto tutto
l'anno.

Qual è l'albergo ideale per ...

una vacanza economica?
chi ha un cane?
chi ha bambini?
chi ama la cucina tipica?

Vuoi passare tre o quattro giorni a Firenze.
Quale albergo preferisci? Perché?

Preferisco l'hotel ... perché

non è caro. □   è possibile portare animali. □

è tranquillo. □   ha il ristorante. □

è in centro. □   ha l'aria condizionata. □

ha il parcheggio. □   ....

Confronta le risposte con quelle di un compagno.

■ Io preferisco l'hotel ... E tu/E Lei?
▼ Io invece preferisco l'hotel ...

■ Io preferisco l'hotel ... E tu/E Lei?
▼ Anch'io.
■ Ah, bene. E perché?
▼ Perché ...

CD 40

3   **Una prenotazione**

Ascolta la telefonata e completa il questionario.

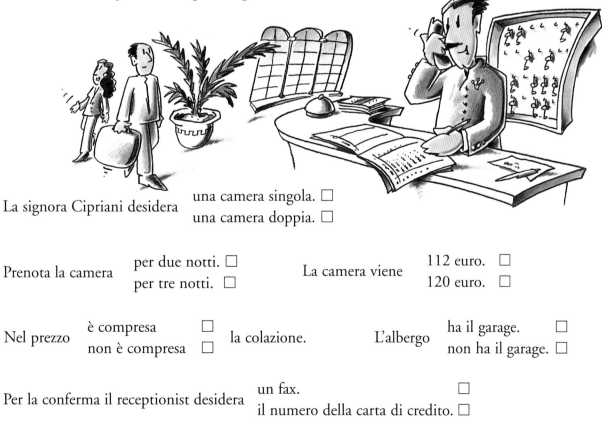

La signora Cipriani desidera   una camera singola. □
                          una camera doppia. □

Prenota la camera   per due notti. □   La camera viene   112 euro. □
                  per tre notti. □   120 euro. □

Nel prezzo   è compresa   □   la colazione.   L'albergo   ha il garage.   □
           non è compresa   □   non ha il garage. □

Per la conferma il receptionist desidera   un fax.   □
                                         il numero della carta di credito. □

Riascolta e completa il dialogo.

- ■ Albergo Torcolo, buongiorno.
- ◆ Buongiorno. Senta, avete una _____ _____ per il prossimo fine settimana?
- ■ Un attimo, prego. Dunque ... beh, c'è una matrimoniale. Va bene lo stesso?
- ◆ Sì.
- ■ E ... da venerdì o da sabato?
- ◆ Per _____ notti. Da venerdì a domenica.
- ■ D'accordo. E a che nome, scusi?
- ◆ Cipriani.
- ■ Ci ... pria ... ni. Perfetto.
- ◆ Sì, un momento però, ho ancora una domanda. Quanto viene la camera?
- ■ _____ euro, _____ la colazione.
- ◆ Benissimo. Un'ultima informazione. Avete il garage?
- ■ _____, signora, mi dispiace, ma ci sono due parcheggi qui vicino.
- ◆ Ah, va bene. ... La ringrazio. A venerdì allora.
- ■ Sì, ... ma scusi ... ancora una cosa, signora: per la conferma può mandare un _____?
- ◆ Certo, anche subito, se vuole.
- ■ Perfetto. Allora grazie e arrivederLa.
- ◆ Prego. ArrivederLa.

	potere
(io)	posso
(tu)	puoi
(lui, lei, Lei)	può
(noi)	possiamo
(voi)	potete
(loro)	possono

C'è una camera matrimoniale.
Ci sono due parcheggi.

Trova l'espressione adatta. Confronta poi con un/una compagno/a.
Cosa si dice per...

chiedere se c'è una camera libera? _____

chiedere il prezzo della camera? _____

chiedere ancora qualcosa? _____

ringraziare? _____

4 Forma delle frasi

La camera	prenota	120 euro.
La signora	non c'è	due parcheggi.
Nell'albergo	può mandare	la colazione.
Nel prezzo	ci sono	una camera per due notti.
Qui vicino	è compresa	un fax?
Per la conferma	viene	il garage.

E 1·2

5 Avete una camera ...?

In coppia fate il dialogo in base alle seguenti indicazioni.

A = Receptionist all'albergo Genzianella

B = Cliente

A risponde al telefono

    B chiede una camera singola per tre notti da mercoledì

A chiede: con o senza bagno?

    B risponde

A dice che va bene

    B chiede se l'albergo ha un garage

A risponde di sì

    B chiede il prezzo della camera

A dice il prezzo e aggiunge che la colazione è inclusa

    B è d'accordo

A chiede a che nome è la prenotazione

    B risponde

A scrive la prenotazione e chiede una conferma per fax

    B risponde di sì

A ringrazia e saluta

    B saluta

6 Che cosa c'è?

Osserva il disegno per 30 secondi, poi chiudi il libro.
Che c'è nella stanza? Ti ricordi i nomi degli oggetti in italiano?

> nella camera
> nella = in + la

E 3·4

Nella camera c'è ... , ci sono ...

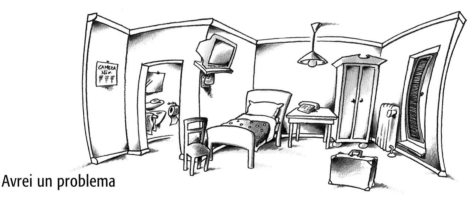

CD 41

7 Avrei un problema

a. *Una signora telefona alla reception di un albergo.*
Ascolta la telefonata.

■ _____

▼ Buona sera. Senta, chiamo dalla camera 128. Avrei un problema.

■ _____

▼ Eh, nel bagno c'è il riscaldamento che non funziona.

■ _____

▼ Grazie. E poi ancora una cosa: è possibile avere un altro cuscino?

■ _____

▼ Grazie mille.

■ _____

b. *Completa il dialogo con le frasi del portiere.*

Viene subito qualcuno a controllare.

Reception, buona sera.

Prego, si immagini!

Dica, signora.

Certo, signora.

c. *Riascolta il dialogo e controlla.*

CD 42

	venire
(io)	vengo
(tu)	vieni
(lui, lei, Lei)	viene
(noi)	veniamo
(voi)	venite
(loro)	vengono

dalla = da + la
nel = in + il

8 Problemi, problemi ...

Guarda i disegni: che cosa dici in questi casi? Forma delle frasi con le parole della lista.

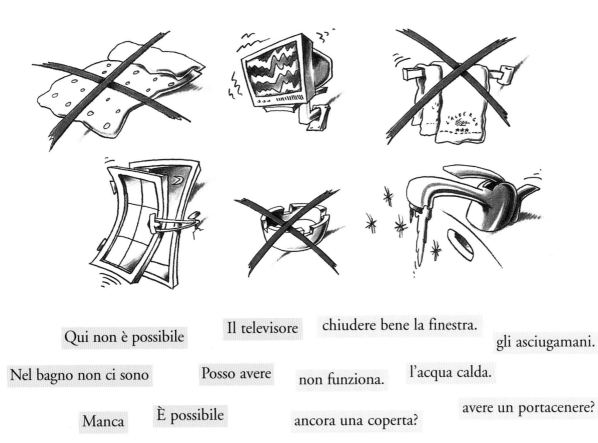

Qui non è possibile

Il televisore

chiudere bene la finestra.

gli asciugamani.

Nel bagno non ci sono

Posso avere

non funziona.

l'acqua calda.

Manca

È possibile

ancora una coperta?

avere un portacenere?

E 5·6·7

9 Un cliente scontento

Lavorate in coppia. A è il cliente, B è il receptionist. Nella stanza di A manca o non funziona qualcosa.
Preparate un dialogo e presentatelo alla classe.

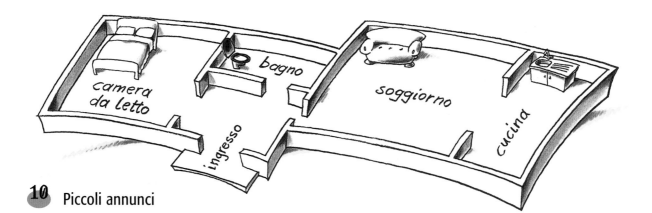

10 Piccoli annunci

CASE E APPARTAMENTI

ARMA DI TAGGIA (Sanremo) Offro bilocale centrale, 4° piano, ascensore, riscaldamento autonomo, vicino a negozi, fermate bus e lungomare. Posto auto. Tel. 0368-7387646

CORTINA (BL) In febbraio affitto appartamento situato in zona centrale, ben arredato e con ogni comfort, 2/4 posti letto. Prezzo interessante. Tel. 0435/400494 ore pasti

BORDIGHERA (IM) Affitto appartamento 5 posti letto, TV, lavatrice, ascensore, 600 € mensili marzo o aprile. Tel. 0172-421279, oppure 0338-8808480

SARDEGNA CALA DI PLATA-MONA (SS) a 50 metri dal mare, appartamento 50mq con ingresso indipendente. Affitto da maggio a ottobre, anche settimane. Tel. 079 - 515102

FORTE DEI MARMI – Da giugno a settembre affitto villino con vista sul mare, grande soggiorno con balcone, 3 camere da letto, doppi servizi, garage e giardino. Tel. 0335- 5934567

Cerca negli annunci le parole corrispondenti a ...

Appartamento con due locali • Strada vicino al mare •
Piccola villa • Due bagni

dal = da + il
sul = su + il

Sottolinea negli annunci i nomi dei mesi e completa la lista.

GENNAIO _____ _____   _____ _____ _____

LUGLIO   AGOSTO   _____   _____ NOVEMBRE   DICEMBRE

Scrivi i numeri ordinali nell'ordine giusto.

decimo • nono • ottavo • quarto • quinto • secondo • sesto • settimo • terzo

E 8·9
10

1° primo   2° _____   3° _____   4° _____   5° _____
6° _____   7° _____   8° _____   9° _____   10° _____

11 In vacanza in Italia

Vuoi prendere in affitto un appartamento in Italia. Quale degli annunci dell'attività 10
è interessante per te? Discuti con un/una compagno/a.

- ◆ A me piace l'appartamento di Cortina.
- ▲ Perché?
- ◆ Perché ha ogni comfort / perché è in una zona centrale /
  perché mi piace sciare / perché amo la montagna ...

CD 43

12 In vacanza, ma non in albergo

Ascolta la telefonata e rispondi alle domande.

Quanti posti letto ci sono nell'appartamento?   L'appartamento è libero per tutto il mese di agosto?
In che mese vuole andare in vacanza la signora?   Nell'appartamento c'è la lavatrice?
Quanto viene l'appartamento per due settimane?   Ci sono problemi per il parcheggio?

Ascolta ancora la telefonata.
A quale annuncio dell'attività 10 è interessata la signora?

13 Una lettera dalle vacanze

Completa la lettera.

```
Cara Maddalena,
Sono qui in Sar_____ con Piero e Carletto per due _____mane.
Abbiamo un app_____ in affitto molto carino e a pochi metri
dal m___. Non è gr__de, ma è molto comodo. C'è un soggiorno con
un balc___ e una bella __mera da letto. Anche i padroni di casa
abitano qui, ma noi abbiamo un ingr____ indipendente.
Torniamo a Torino il 4 settem___.
Tanti cari saluti
   Eva
```

14 Saluti da ...

Anche tu hai preso un appartamento o una casa in affitto. Scrivi una breve lettera
ad amici in Italia e descrivi il tuo alloggio.

E INOLTRE...

1 I numeri da 100 in poi

100 cento	101 centouno	112 centododici
200 duecento	250 duecentocinquanta	290 duecentonovanta
800 ottocento	900 novecento	933 novecentotrentatré
1.000 mille	2.000 duemila	10.000 diecimila
1.000.000 un milione	2.000.000 due milioni	
1.000.000.000 un miliardo	2.000.000.000 due miliardi	

2 Qual è il numero seguente?

*Leggete i numeri. Il primo studente legge il numero più piccolo,
gli altri continuano leggendo i numeri in ordine crescente.*

601	3.564	215	7.500	10.000	576	8.217	39.766
2.995	125	1.950	735	457.925	54.150	268	42.509

3 La data

*Leggi i testi. Come si scrive la data in italiano?
Ci sono delle differenze nella tua lingua?*

Peschici 5/10/2000

Un caro saluto

       Paolo

Milano, 1° marzo 2001

Confermo la prenotazione
telefonica di una camera
singola con bagno dal 10
al 12 marzo.
Distinti saluti

       Giorgio Calò

■ Che giorno è oggi?
◆ Martedì.

■ Quanti ne abbiamo?
◆ È il 21.

5/10/2000 = cinque ottobre duemila
1° marzo 2001 = primo marzo duemila(e)uno

Per comunicare

Senta, avete una camera doppia per il prossimo fine settimana?

Quanto viene la camera?
120 euro, compresa la colazione.

Avete il garage/l'aria condizionata in camera?
Sì, certo.

Scusi, è possibile portare animali/pagare
con la carta di credito/avere un'altra coperta?
No, mi dispiace.

Avrei un problema: qui c'è il riscaldamento/la doccia
che non funziona.

Avrei un problema: qui manca un cuscino/mancano
gli asciugamani.

Grazie mille.
Prego, si immagini!

Grammatica

c'è – ci sono

C'è un parcheggio qui vicino?
Ci sono due camere libere per domani?

C'è si usa con nomi al singolare, ci sono con nomi al plurale.

Preposizioni articolate

+	il	lo	l'	la	i	gli	le
di	del	dello	dell'	della	dei	degli	delle
a	al	allo	all'	alla	ai	agli	alle
da	dal	dallo	dall'	dalla	dai	dagli	dalle
in	nel	nello	nell'	nella	nei	negli	nelle
su	sul	sullo	sull'	sulla	sui	sugli	sulle

Preposizioni di tempo

Vorrei prenotare **da** venerdì sera.
Affitto un appartamento **da** maggio **a** giugno.

*In italiano le preposizioni **di, a, da, in, su** si uniscono all'articolo determinativo formando una sola parola.*

Numeri ordinali

Il primo, il secondo, il terzo, il quarto, il quinto,
il sesto, il settimo, l'ottavo, il nono, il decimo

I numeri ordinali sono aggettivi, perciò concordano in genere e numero con la persona o la cosa cui si riferiscono:
la seconda camera, il terzo piano, la quinta settimana ...

La data

Quanti ne abbiamo oggi? – È il 21 (ventuno).
Che giorno è oggi? – Martedì.

Per la data si usano i numeri cardinali. Solo con il primo giorno del mese si usa il numero ordinale:
1° giugno = il primo giugno
La data nelle lettere si scrive così:
Genova, 3 settembre 2001 *o* Genova, 3/9/2001

Gli interrogativi

Quanto viene la camera ?

Facciamo il punto
Gioco

Si gioca in gruppi di 4-5 persone con 1 dado e pedine. Ogni giocatore mette la sua pedina su una casella a scelta. Poi tira un dado e avanza di tante caselle quanti sono i punti indicati. A questo punto deve formulare una frase o una domanda citando l'oggetto rappresentato nella casella (es. televisore: Mi piace guardare la TV/ Non guardo la TV/ Non ho la TV/ Guardi spesso la TV? ecc.). Se gli altri componenti del gruppo decidono che è esatta, prende un punto. Se invece qualcuno giudica che sia sbagliata, lo dice, la corregge e prende il punto. Il primo ad avere il diritto di correggere è il giocatore immediatamente a destra di chi ha tirato il dado. Seguono gli altri. Dopo un tempo stabilito l'insegnante interrompe il gioco. Vince chi ha il maggior numero di punti.

Caffè culturale

L'italiano nel mondo

a. Prova a fare delle ipotesi sullo studio della lingua italiana nel mondo, scegliendo le informazioni che ritieni corrette.

Ci sono

☐ sempre più persone

☐ sempre meno persone

che studiano l'italiano.

L'italiano si studia molto in:

☐ Brasile ☐ Argentina ☐ Stati Uniti

☐ Europa dell'Est ☐ Asia ☐ Europa del Nord

L'Italiano si studia soprattutto:

☐ per riscoprire le proprie origini ☐ per lavoro

☐ per motivi di studio ☐ per amore

☐ per poter comunicare in vacanza ☐ per capire i testi delle canzoni italiane

Molte parole italiane sono di uso internazionale in:

☐ letteratura ☐ musica

☐ astronomia ☐ psicologia

☐ medicina ☐ archeologia

b. Confronta le risposte con un compagno e poi leggi il testo per verificare se le ipotesi sono corrette.

La Lingua italiana

Home

Il bacino potenziale degli utenti di lingua italiana è calcolato in circa 120 milioni di persone, la metà in Italia e il resto sparso nei paesi di emigrazione più e meno recenti. Un patrimonio che non solo ha un glorioso passato ma anche un presente in espansione. Sono sempre di più, infatti, le persone che nel mondo si appassionano alla nostra lingua. Chi riscopre le proprie radici (solo in Argentina il 65% e oltre della popolazione ha origini italiane), chi lo fa per lavoro o per amore, chi invece si sente italiano d'adozione dopo uno dei viaggi dell'anima nel nostro paese. Qualche dato in più? L'italiano va molto forte nell'Europa dell'Est, in Ungheria è la seconda lingua studiata dopo l'inglese, in Russia contende il secondo posto a francese e tedesco, in Ucraina è nettamente la prima lingua straniera studiata. Ma perché si studia l'italiano? Certo non solo per riscoprire le proprie origini, per amore o per motivi di lavoro. Non dimentichiamo, infatti, che il linguaggio musicale parla italiano (andante, adagio, allegro, ecc.), la moda, l'arte si esprimono spesso in italiano. L'esempio straordinario è quello di una parola come *dolce vita*. Non solo è una delle espressioni italiane più famose al mondo, ma riesce a comunicare uno stile di vita, un sogno, un'epoca. Ed è anche un capo d'abbigliamento a cui è difficile rinunciare.

Il dolcevita, o meglio il maglione a collo alto, viene probabilmente così chiamato perché lo indossava Marcello Mastroianni nel film di Federico Fellini "La dolce vita".

© La lingua italiana

da *http://guide.supereva.it*

Bilancio

Dopo queste lezioni, che cosa so fare?

	😊	😐	☹️
Ordinare da mangiare e da bere in un locale	☐	☐	☐
Parlare del mio tempo libero	☐	☐	☐
Parlare dei miei gusti e preferenze	☐	☐	☐
Prenotare una camera d'albergo	☐	☐	☐
Descrivere un appartamento	☐	☐	☐
Chiedere e dire l'ora	☐	☐	☐
Chiedere e dire la data	☐	☐	☐
Esprimere le mie intenzioni	☐	☐	☐

Cose nuove che ho imparato

10 parole o espressioni che mi sembrano importanti:

Una cosa particolarmente difficile:

Una curiosità sull'Italia e gli italiani:

Le mie strategie

Scrivere per descrivere

1. Su www.scambiocasa.it ho trovato un appartamento molto bello in una città italiana; vorrei scambiarlo con il mio durante le vacanze estive. Per scrivere un'e-mail al proprietario della casa:

   a. preparo l'e-mail molto prima usando il dizionario e, se posso, facendola leggere a un italiano: deve essere perfetta; ☐

   b. scrivo subito l'e-mail senza preoccuparmi dei miei errori di grammatica:
      l'importante è che sia comprensibile; ☐

   c. cerco delle e-mail simili su Internet per copiarne una; ☐

   d. scrivo nella mia lingua o in inglese quando devo parlare di cose troppo difficili per me in italiano; ☐

   e. mentre scrivo, cerco nel dizionario solo le parole importanti
      per descrivere accuratamente il mio appartamento; ☐

   f. scrivo direttamente in inglese: ormai lo capiscono tutti e io voglio prenotare la casa in fretta. ☐

2. Secondo te quali sono le strategie di maggior successo in questa situazione e perché?
   Discutine con un compagno.

Mi metto alla prova!

Vuoi organizzare un fine settimana in una città italiana a tua scelta. Cerca con www.google.it un posto in cui pernottare (albergo, pensione, ostello), un locale tipico dove mangiare e alcune attività da svolgere (teatro, cinema, mostre, eccetera).

In giro per l'Italia

1 Il Bel Paese

Guarda queste foto. A quali città pensi?
Conosci altre città italiane?
C'è una città o un paese che ancora non conosci e che desideri tanto vedere?

2 Fra colleghi

CD 46

■ Lei va spesso a Padova, vero?

▼ Sì, ci vado spesso perché ho dei clienti lì.

■ Ah, e com'è la città?

▼ Ah, a me piace molto. Ci sono tante cose da vedere …

■ Ah, sì?

▼ Sì, le tre piazze del mercato, l'università, delle chiese famose, dei musei, spesso anche delle mostre interessanti …

■ Ah, bene.

▼ Sì … e poi ci sono teatri, cinema, negozi eleganti, ristoranti tipici, …

■ Perfetto! Senta, conosce anche un albergo tranquillo in centro? Sa, a Pasqua vorrei andare proprio a Padova …

▼ Beh, guardi, io vado sempre al Leon Bianco. È proprio nella zona pedonale. Vuole l'indirizzo?

■ Sì, volentieri.

3 Completa

Il signor Marra conosce bene Padova. _____ va spesso perché ha
_____ clienti lì. In questa città ci sono _____ cose da vedere:
l'università, _____ chiese famose, _____ musei, _____ mostre
interessanti. A Padova il signor Marra va sempre in _____ albergo
nella zona pedonale.

> **Ci** vado spesso. =
> Vado spesso **a Padova**.

E 1

4 Che cosa è?

Collega le frasi alle foto.

1.

2.

3.

4.

5.

6.

a. È una zona industriale.
b. È un mercato famoso.
c. Sono edifici moderni.
d. È una grande piazza.
e. Sono palazzi antichi.
f. È un piccolo paese.

una chiesa famosa	**delle** chiese famose
un ristorante tipico	**dei** ristoranti tipici
un albergo tranquillo	**degli** alberghi tranquilli
una mostra interessante	**delle** mostre interessanti
un negozio elegante	**dei** negozi eleganti

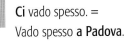

E 2·3

5 | Ci sono dei palazzi antichi?

*A e **B** segnano, ognuno sul proprio foglio, cinque cose che si trovano nelle "loro città". **A** fa delle domande a **B** per scoprire quali oggetti ha segnato e, a seconda delle risposte, scrive sì o no vicino agli oggetti. Poi fa **B** le domande. Vince chi ha meno "no" sul foglio.*

- ■ In questa città ci sono dei palazzi antichi? ▼ Sì./No.
- ▼ In questa città c'è un castello famoso? ■ Sì./No.

Studente A

palazzi antichi	castello famoso	torre famosa	museo interessante
negozi eleganti	chiese antiche	teatro importante	edifici moderni
trattorie tipiche	mostre interessanti	piazze famose	ristoranti tipici

Studente B

palazzi antichi	castello famoso	torre famosa	museo interessante
negozi eleganti	chiese antiche	teatro importante	edifici moderni
trattorie tipiche	mostre interessanti	piazze famose	ristoranti tipici

6 | La mia città

Come è la città dove abiti? Che cosa c'è da vedere?
Come descriveresti la tua città in un depliant pubblicitario?

... è una città ...
C'è un/una ...
Ci sono dei/delle/degli/tanti/tante ...

7 Una lettera da Bologna

Leggi la lettera e poi completa le frasi.

Caro Roberto,   Bologna, 29 maggio

sono qui a Bologna per frequentare un corso di restauro.
La città è un po' rumorosa, ma molto vivace e inoltre
ci sono tante cose interessanti da vedere, per esempio
la Basilica di San Petronio, le due Torri o Piazza
Maggiore. Qui c'è sempre qualcosa da fare: quando non
frequento le lezioni vado a vedere una mostra, un museo
o una chiesa. La sera vado a teatro o al cinema o faccio
una passeggiata per le strade del centro e guardo le
vetrine dei negozi. Da Bologna poi posso visitare molti
altri posti nei dintorni. Domani vado a Modena e il
fine settimana a Ferrara per vedere il Castello degli
Estensi. Insomma, un vero e proprio soggiorno culturale.
Tanti cari saluti e ... a presto!

Michael

Bologna è _____

A Bologna ci sono _____

Quando non va a lezione Michael _____

_____

La sera Michael _____

Da Bologna Michael _____

E 4·5

> La città è **molto vivace.**
> Posso visitare **molti posti.**

8 Una cartolina da ...

Sei in vacanza. Scrivi una cartolina a un amico italiano e descrivi il posto dove sei e cosa è possibile visitare o fare.

9 Alla fermata dell'autobus

CD 47

- Mi scusi, sa che autobus va in centro?
- Dunque ... il 12 o il 32.
- Grazie. E sa se c'è una fermata
  vicino al terminal delle autocorriere?
- Beh, il 12 ferma davanti alla stazione
  e il terminal è lì a due passi.
- Bene ... grazie. Ah, mi scusi ancora una domanda.
  A quale fermata devo scendere?
- Alla quarta o alla quinta, credo. Ma è meglio
  se chiede ancora una volta in autobus.
- Grazie mille.
- Prego.

E 6·7   *Completa con le preposizioni.*

L'autobus numero 12 va _____ centro.

La turista vuole andare _____ terminal _____ autocorriere.

La fermata è davanti _____ stazione.

La turista deve scendere _____ quarta o _____ quinta fermata.

	dovere	sapere
(io)	devo	so
(tu)	devi	sai
(lui, lei, Lei)	deve	sa
(noi)	dobbiamo	sappiamo
(voi)	dovete	sapete
(loro)	devono	sanno

10 Dove devo scendere?

In coppia, ripetete il dialogo 9 sostituendo a terminal delle autocorriere *e a* stazione *i seguenti posti:* duomo, museo archeologico,
teatro comunale, chiesa di S. Giovanni, posta centrale,
biblioteca comunale, università.
Variate anche il numero *dell'autobus e la* fermata.

> andare in centro
> andare al duomo
> scendere alla ... fermata

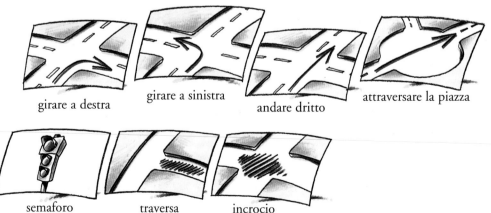

girare a destra   girare a sinistra   andare dritto   attraversare la piazza

semaforo   traversa   incrocio

6

(🎧) **11** Alla reception

CD 48

Copri il testo, ascolta il dialogo e segna sulla cartina come arrivare alla pizzeria.

■ _____, è ancora possibile cenare
qui in albergo?

▼ No, _____, a quest'ora la cucina
è già chiusa.

■ Ah, capisco. _____! _____
c'è un ristorante ancora aperto qui vicino?

▼ Beh, c'è il Pe Pen, una pizzeria
che chiude verso mezzanotte.

■ _____. E dov'è?

▼ In via Roma. Sa dov'è?

■ _____ no.

▼ Dunque, Lei esce dall'albergo, va subito
a destra, continua dritto, attraversa una
piazza e va ancora avanti. Alla prima, no no
anzi alla seconda traversa, gira a sinistra e lì,
proprio accanto al cinema Astra, c'è la pizzeria.

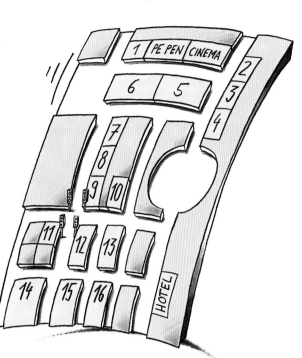

Riascolta il dialogo e inserisci le seguenti espressioni.

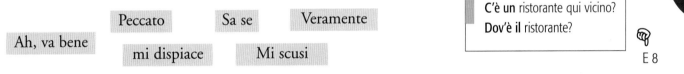

Ah, va bene   Peccato   Sa se   Veramente

mi dispiace   Mi scusi

> C'è un ristorante qui vicino?
> Dov'è il ristorante?

(✍) E 8

6

Leggi il dialogo con un partner, prima con e poi senza le espressioni inserite.
Che cosa cambia?

12 Dov'è ...?

*A legge la descrizione del percorso; B la segue sulla cartina in alto a destra e cerca di
scoprire il numero della banca. Poi legge B la seconda descrizione ed A cerca di scoprire
sulla cartina il numero della stazione.*

■ Lei esce dall'albergo, va dritto fino al terzo incrocio, poi gira a destra, va dritto
fino a un semaforo, poi gira a sinistra e subito dopo c'è la Cassa di Risparmio.

▲ Lei esce di qui, va subito a destra, arriva fino al primo incrocio e gira a sinistra,
va avanti e al primo incrocio gira a destra e lì c'è la stazione delle autocorriere.

13 Dov'è l'ufficio postale?

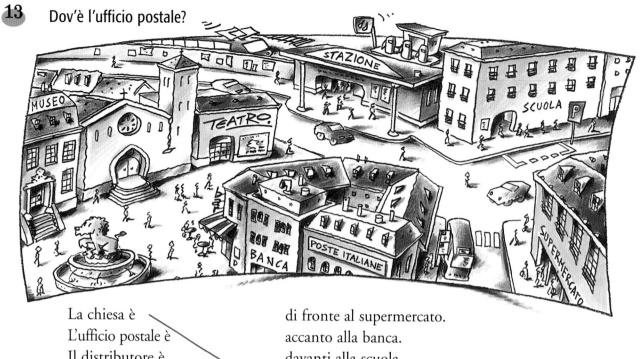

E 9·10
11·12

La chiesa è	di fronte al supermercato.
L'ufficio postale è	accanto alla banca.
Il distributore è	davanti alla scuola.
Il parcheggio è	all'angolo.
Il bar è	fra il museo e il teatro.
La fermata dell'autobus è	dietro la stazione.

14 Scusi, …

A *legge questa pagina.* **B** *la pagina 111. A turno, si domandano informazioni sui posti che cercano.*

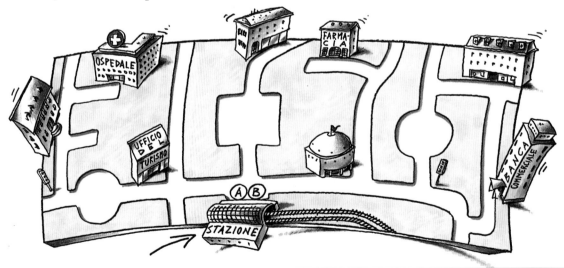

A Sei davanti alla stazione e cerchi

1. un supermercato   3. l'hotel Europa
2. una libreria   4. il cinema Lux

■ Scusi, c'è un/a … qui vicino?
Scusi, sa dov'è il/la/l' …?
▼ Sì, Lei va …, gira …

6

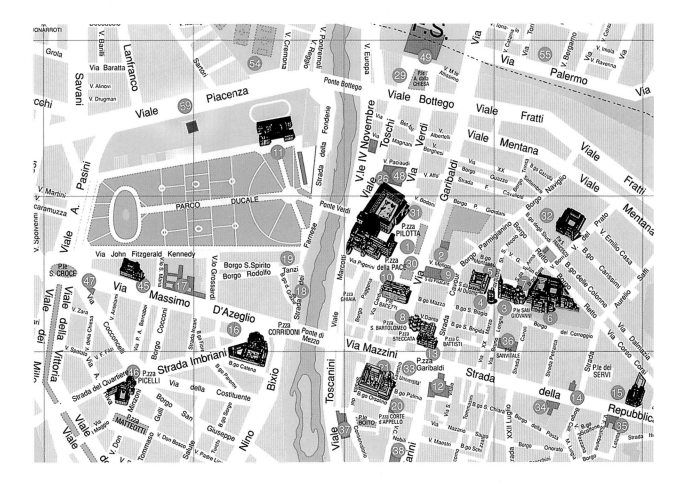

15 Un turista a Parma

CD 49

Un turista è vicino al duomo (n. 3) e vuole andare al Palazzo Ducale. Domanda a una passante un'informazione. Ascolta il dialogo e segna con una crocetta la risposta esatta.

Il Palazzo Ducale	è vicino al Duomo.	☐
	è un po' lontano dal Duomo.	☐
Il turista va	in autobus.	☐
	a piedi.	☐
Il turista deve attraversare	prima una piazza e poi un ponte.	☐
	prima un parco e poi un ponte.	☐
Guarda la cartina.	al numero 32.	☐
Il turista deve arrivare	al numero 11.	☐

Ascolta ancora il dialogo e collega le frasi del turista con quelle delle due passanti.

1. Sa dov'è il Palazzo Ducale?   a. Non c'è di che.
2. Allora, scusi tanto.   b. No, mi dispiace, non lo so. Non sono di qui.
3. La ringrazio molto.   c. Prego, si figuri.

E INOLTRE...

1 A che ora?

CD 50

Collega i dialoghi ai disegni.

1. ■ Scusi, a che ora parte il prossimo autobus per Montecassino?
   ▼ All'una e mezza.

2. ■ Quando arriva il treno da Perugia?
   ▼ Alle 18.32.

3. ■ A che ora comincia l'ultimo spettacolo?
   ▼ Alle 22.15.

4. ■ A che ora chiude il museo?
   ▼ A mezzogiorno.

2 E da voi?

In piccoli gruppi confrontate questi orari con quelli della vostra città. Ci sono differenze?

A che ora?
A mezzogiorno / a mezzanotte
All'una
Alle 18.30

E 13·14

Per comunicare

Com'è la città?
Ci sono tante cose da vedere: delle chiese famose, dei musei, delle mostre interessanti …

E a quale fermata devo scendere?
Alla prima/seconda/terza …

Dov'è la fermata dell'autobus/l'ufficio postale …?
In via Roma/di fronte al supermercato …

C'è un ristorante/una banca … (qui vicino)?
Sì, Lei adesso gira a destra/a sinistra/continua dritto…
Mi dispiace, non lo so. Non sono di qui.

Grazie mille.
Non c'è di che.

A che ora comincia lo spettacolo?
A mezzogiorno/alle due.

Grammatica

Il partitivo (l'articolo indeterminativo al plurale)

A Padova ci sono **dei** musei, **degli** alberghi, **delle** chiese …

*Il plurale dell'articolo indeterminativo un, uno, ecc. si fa con la preposizione **di** + gli articoli determinativi (il, lo, ecc.). Questa forma si chiama partitivo e serve ad indicare una quantità indefinita.*

Ci

Vai spesso a Padova?
Sì, **ci** vado spesso.

Ci sostituisce il luogo (in questo caso: a Padova).

Concordanza degli aggettivi con i sostantivi

	singolare	plurale
maschile	un museo famoso	dei musei famosi
	un museo interessante	dei musei interessanti
femminile	una chiesa famosa	delle chiese famose
	una zona interessante	delle zone interessanti

Gli aggettivi in –o (in –a al femminile) hanno la desinenza –i al plurale (-e per i sostantivi femminili). Gli aggettivi in –e hanno la desinenza –i sia al maschile che al femminile.

Gli interrogativi

Quando arriva il treno da Perugia?
A **quale** fermata devo scendere?

Aggettivi in -co/-ca

palazzo antico	palazzi antichi
ristorante tipico	ristoranti tipici
chiesa antica	chiese antiche
trattoria tipica	trattorie tipiche

Gli aggettivi in -ca hanno il plurale in -che. Gli aggettivi in -co hanno il plurale in -chi, se hanno l'accento sulla penultima sillaba e in –ci se hanno l'accento sulla terz'ultima sillaba.

Molto

La città è **molto** vivace.
A me piace **molto**.
Ci sono **molti** posti da vedere.
Ci sono **molte** belle piazze.

Molto avverbio (in combinazione con un aggettivo o un verbo) è invariabile; molto aggettivo (cioè quando viene prima di un nome) concorda in numero e genere con il nome a cui si riferisce.

C'è un … ? – Dov'è il …?

C'è un ristorante qui vicino?
Dov'è il ristorante «Al sole»?

C'è un/ una/ uno ….? si usa per chiedere se vicino a chi parla si trova una certa cosa.
Dov'è il/ la … ? si usa per chiedere dove si trova qualcosa di preciso.

6

Andiamo in vacanza!

1 Tante idee per partire

LAGO DI GARDA E ARENA DI VERONA – viaggio in autobus – sei pernottamenti in hotel ★★★ con piscina a Bardolino – 2 spettacoli – a Verona visita guidata – partenze tutti i martedì

a. e le domeniche

ASSISI – settimana di meditazione in convento – pensione completa – passeggiate in montagna e nei dintorni – a scelta corsi di

b. restauro libri

LOMBARDIA IN BICI – da Milano a Milano con soste e visite guidate a Pavia, Vigevano, Cremona e Parma – tappe giornaliere di circa

c. 40 km – serate gastronomiche

CLUB VALTUR SICILIA – voli giornalieri da Roma e da Milano – alloggio in bungalow a pochi metri dal mare – pensione completa – animazione – tennis – diving – servizio baby

d. sitting

MONTEGROTTO TERME – settimana in centro benessere – reparto cure – idroterapia termale – fangoterapia – massaggi – sauna e ginnastica –

e. diete

CORVARA (BZ) – mezza pensione in albergo a gestione familiare – cucina tipica – escursioni

f. sulle Dolomiti con guida alpina – minigolf

Qual è la vacanza ideale per una persona che ...

non sta bene e desidera fare qualcosa per il proprio corpo? ☐
va volentieri in montagna e ama la cucina tradizionale? ☐
è stressata, odia i posti dove c'è molta gente e ama il silenzio e la natura? ☐
è dinamica, sportiva e ha un bambino? ☐
ama l'arte e l'opera, ma desidera anche passare alcuni giorni in assoluto relax? ☐
è molto sportiva e ama la buona cucina? ☐

2 Una settimana a ...

Quale di queste offerte preferisci per una vacanza di una settimana? Perché?

3 Leggi le cartoline

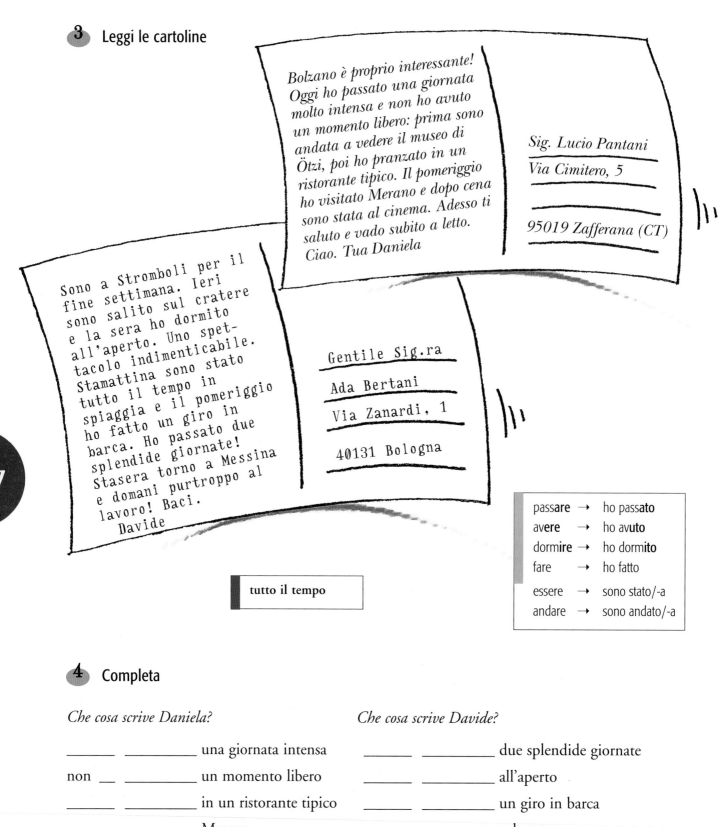

*Bolzano è proprio interessante!
Oggi ho passato una giornata
molto intensa e non ho avuto
un momento libero: prima sono
andata a vedere il museo di
Ötzi, poi ho pranzato in un
ristorante tipico. Il pomeriggio
ho visitato Merano e dopo cena
sono stata al cinema. Adesso ti
saluto e vado subito a letto.
Ciao. Tua Daniela*

Sig. Lucio Pantani

Via Cimitero, 5

95019 Zafferana (CT)

Sono a Stromboli per il
fine settimana. Ieri
sono salito sul cratere
e la sera ho dormito
all'aperto. Uno spet-
tacolo indimenticabile.
Stamattina sono stato
tutto il tempo in
spiaggia e il pomeriggio
ho fatto un giro in
barca. Ho passato due
splendide giornate!
Stasera torno a Messina
e domani purtroppo al
lavoro! Baci.
Davide

Gentile Sig.ra

Ada Bertani

Via Zanardi, 1

40131 Bologna

passare	→	ho pass**ato**
avere	→	ho av**uto**
dormire	→	ho dorm**ito**
fare	→	ho fatto
essere	→	sono stato/-a
andare	→	sono andato/-a

tutto il tempo

4 Completa

Che cosa scrive Daniela?

_____ _____ una giornata intensa

non __ _____ un momento libero

_____ _____ in un ristorante tipico

_____ _____ Merano

_____ _____ a vedere il museo di Ötzi

_____ _____ al cinema

Che cosa scrive Davide?

_____ _____ due splendide giornate

_____ _____ all'aperto

_____ _____ un giro in barca

_____ _____ sul cratere

_____ _____ in spiaggia

E 1·2·3
4·5

5 Che cosa hanno fatto?

Giacomo e Serena hanno passato una breve vacanza in due posti diversi.
Ognuno racconta quello che ha fatto (per il passato prossimo di questi verbi, vedi la lista a pag. 70).

Giacomo

essere al lago di Garda · cercare un campeggio ·
montare la tenda · fare surf · mangiare una pizza ·
fare un giro in bicicletta · tornare al campeggio ·
fare la doccia · preparare qualcosa da mangiare ·
andare in discoteca

Serena

essere a Venezia · cercare un albergo · andare in
vaporetto a Piazza S. Marco · visitare la basilica ·
fare fotografie · mangiare qualcosa in un bar ·
dormire un poco · andare a vedere una mostra ·
incontrare un'amica · cenare insieme a lei

Giacomo racconta: Io sono stato al lago di Garda. Prima ... poi ...
a mezzogiorno ... il pomeriggio ... la sera ...
Serena racconta: Io invece ...

Ora racconta cosa hanno fatto Giacomo e Serena.

Lui è stato al lago di Garda ... Lei ...

6 Bingo

*Chi ha svolto una di queste attività la scorsa estate? Potete fare solo una domanda a
persona. Quando trovate qualcuno, scrivete il suo nome nella casella corrispondente
all'attività svolta. Vince il primo che riempie 4 caselle in diagonale, in orizzontale o in
verticale.*

 Nelle ultime vacanze hai/
ha fatto delle fotografie?
▲ Sì./No.

fare delle fotografie	pranzare in un ristorante tipico	stare in un campeggio	visitare dei musei
_____	_____	_____	_____
andare al cinema	andare in montagna	fare un viaggio in bicicletta	essere al mare
_____	_____	_____	_____
guardare la TV	affittare un appartamento	andare a vedere una mostra	fare sport
_____	_____	_____	_____
fare un corso d'italiano	dormire a lungo	restare a casa	giocare a tennis
_____	_____	_____	_____

7 | Saluti da ...

*Sei fuori città per il fine settimana. Il secondo giorno scrivi una cartolina
ad un amico. Racconti cosa hai fatto e cosa vuoi fare il giorno dopo.
Usa le seguenti espressioni di tempo.*

Ieri prima ... poi ...   ... e domani ...   ... e poi il pomeriggio ...

Stamattina ...   Stasera ...

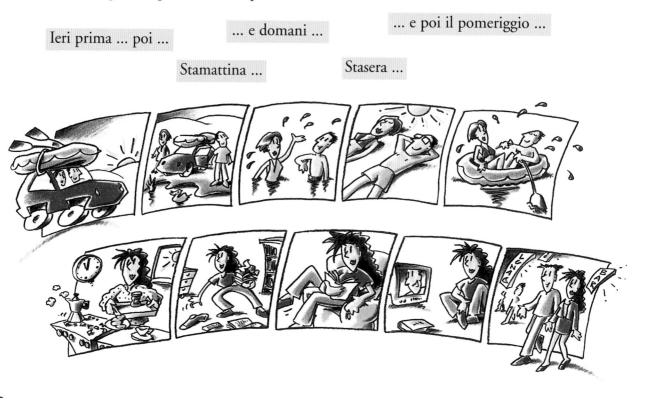

8 | E domenica ...?

CD 53

■ E allora, siete tornati al lago anche domenica?

▼ Beh, chiaro! Che domanda!

■ E siete partiti presto come al solito, eh?

▼ Sì, però siamo arrivati lì verso le nove. Così abbiamo fatto subito il bagno
e abbiamo preso il sole tutto il giorno. Più tardi abbiamo fatto anche un giro in
gommone. È stata una giornata molto bella! E tu che cosa hai fatto?

■ Mah, niente di particolare perché sono rimasta a casa quasi tutto il giorno: la mattina
ho fatto colazione tardi e poi ho messo in ordine la casa. Il pomeriggio ho letto
un po' e poi ho visto un film alla TV. Dopo per fortuna è venuto Luca, con lui ho
fatto una passeggiata in centro.

▼ Ah, ecco.

■ Sì, ma brevissima ...

E 6

| domenica = domenica scorsa / prossima
la domenica = ogni domenica |

| una giornata **molto bella**
una **brevissima** passeggiata |

9 Completa lo schema

prendere	ho _____	_____	ho visto
_____	ho letto	rimanere	sono _____
mettere	ho _____	_____	è venuto/-a

10 La giornata di tre amici. Completa

Domenica scorsa Gianfranco e Alberta _____ _____ al lago. _____ _____
verso le sette e _____ _____ due ore dopo. _____ _____ il sole,
_____ _____ il bagno e _____ _____ anche un giro in gommone.
Laura invece non _____ _____ niente di particolare perché _____ _____ quasi
tutto il giorno a casa. Ha _____ colazione tardi, poi ha _____ in ordine la casa.
Dopo ____ _____ un libro e ____ _____ un film alla TV. Per fortuna la sera è
arrivato Luca e insieme _____ _____ una breve passeggiata in centro.

E 7·8·9

11 Che cosa hanno fatto?

A riempie le caselle blu e B quelle bianche, scrivendo delle frasi con i verbi della lista (al passato prossimo). A fa una domanda, es.: Cosa ha fatto Giorgia la mattina? B risponde con la sua frase, es.: Ha letto il giornale. A scrive la risposta nella sua casella. Poi è il turno di B, che fa una domanda, ecc. Alla fine A e B controllano insieme cosa hanno scritto e correggono.

giocare   fare   mettere   rimanere   visitare   prendere

leggere   mangiare   vedere   andare   essere

	Mauro	Giorgia	Vittorio	Lucia
la mattina				
il pomeriggio				
la sera				

12 Quando è stata l'ultima volta che ...?

Intervista uno o più compagni.

fare una passeggiata
vedere un film
andare a sciare
parlare al telefono
prendere un gelato
leggere un libro
fare una festa
dormire fino a tardi
mettere in ordine l'appartamento
rimanere a casa tutto il giorno

il mese scorso

due settimane fa

prima della lezione

l'altro ieri

stamattina

ieri

in gennaio

giovedì scorso

la settimana scorsa

E 10·11

13 Una settimana in Toscana

CD 54

Ascolta il dialogo e segna sulla cartina l'itinerario seguito da Piero durante le sue vacanze in Toscana.

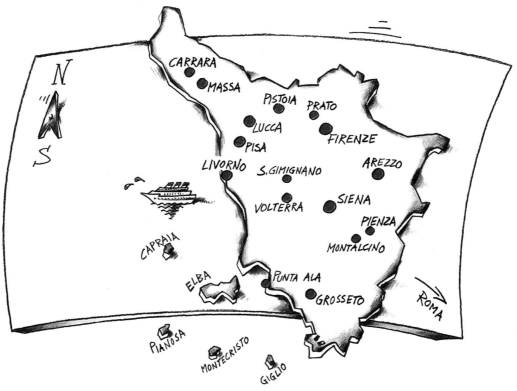

Riascolta il dialogo. In quale città Piero è stato ospite di un amico? Dove è stato in campeggio? Dove ha dormito in una pensione?

La città di Pio II, la città con le torri, la città del Brunello, la città del Palio, la città medioevale con un passato etrusco. Qual è il nome di queste città?

E INOLTRE...

1 Previsioni del tempo

A che giorno si riferiscono queste previsioni?

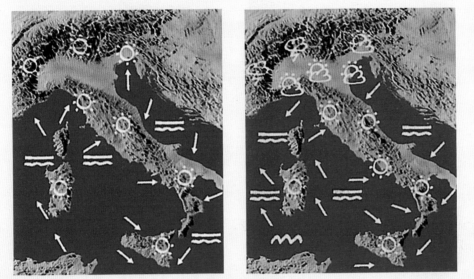

Giovedì   Sabato

Nubi al Nord, qualche temporale sulle Alpi, sole sul resto d'Italia. Temperatura: sopra la media. Caldo quasi ovunque. Venti: deboli al largo. Brezze sulle coste al Centrosud. Mari: quasi calmi.

2 Che tempo fa?

CD 55

▦ Pronto?

▼ Ciao Piera, sono Flavia, come stai?

▦ Benissimo, sai, sono appena tornata dal bosco.

▼ Sei di nuovo andata a funghi?

▦ Eh chiaro, come sempre ...

▼ Allora il tempo è bello.

▦ No, a dire il vero no, anzi è abbastanza brutto, la sera qua fa già un po' freddo. Ieri poi c'è stato un temporale che ...

▼ E con questo tempo vai a funghi?

▦ Beh, ci sono ancora delle nuvole, ma adesso non piove più. E da te che tempo fa? Bello, scommetto.

▼ Bellissimo. C'è il sole, fa caldo, oggi ho fatto addirittura il bagno ...

> qualche temporale = dei temporali
> qualche nuvola = delle nuvole

Confronta il dialogo con le previsioni del tempo. Chi delle due amiche abita al Nord?
Chi al Sud? Sottolinea nel dialogo tutte le espressioni che si riferiscono al tempo.

3 Che freddo!

Cosa dicono? Collega disegno e frase.

1. Che caldo!   2. Che vento!   3. Che freddo!   4. Che pioggia!

 4 E com'è oggi il tempo da voi?

E 12·13·14
15·16

Per comunicare

Che cosa hai/ha fatto stamattina/ieri/domenica?
Ho fatto sport/ho fatto una passeggiata in centro/
sono andato(-a) al cinema/sono rimasto(-a) a casa …

E cosa hai/ha fatto nelle (ultime) vacanze?
Ho fatto molte fotografie/sono stato(-a) al mare/
sono andato(-a) in montagna …

Quando è stata l'ultima volta che hai letto un libro?
L'altro ieri/giovedì scorso/due settimane fa/in gennaio …

Che tempo fa da te?/Com'è il tempo oggi?
È bello/è brutto/fa caldo/fa freddo/piove/c'è vento/
c'è qualche nuvola/c'è un temporale/c'è il sole.

Che caldo!/Che freddo!/Che pioggia!/Che vento!

Grammatica

Il passato prossimo

(and**are**)	Sono and**ato/-a** a Milano.
(av**ere**)	Ho av**uto** molto da fare.
(dorm**ire**)	Ho dorm**ito** tutto il giorno.

*Il passato prossimo si forma con il verbo **avere** o **essere** e il participio passato. I verbi regolari in –**are** hanno il participio passato in –**ato**; i verbi in –**ere** hanno il participio passato in –**uto** e i verbi in –**ire** hanno il participio passato in –**ito**. Per la maggior parte dei verbi si usa **avere** per formare il passato prossimo; per molti verbi di movimento si usa invece **essere**.*

Davide è andato a Stromboli.
Daniela è andata a Bolzano.
Davide e Daniela sono andati in vacanza.
Daniela e Maria sono andate al lavoro.

*Quando si usa il verbo **essere** per il **passato prossimo**, il participio concorda in genere e numero con il soggetto (-o, -i, -a, -e). Con il verbo **avere**, invece, il participio è invariabile.*

Alcuni participi irregolari

essere	stato/stata
rimanere	rimasto/rimasta
venire	venuto/venuta
fare	fatto
leggere	letto
mettere	messo
prendere	preso
vedere	visto

Tutto

Ho lavorato **tutto il** giorno.
Ho lavorato **tutti i** giorni.

*In combinazione con un nome, **tutto** è sempre seguito dall'articolo determinativo.*

La negazione

Sei spagnolo? **No**, sono argentino.
Non vado spesso a ballare.
Non vado **mai** a ballare.
Adesso **non** piove **più**.
Non ho fatto **niente** di particolare.
Non ho **un** momento libero.

Il superlativo assoluto

Questo albergo è **molto tranquillo/tranquillissimo**.

*Il superlativo assoluto indica un grado elevato di qualità. Si forma con **molto** (invariabile!) + l'aggettivo o aggiungendo il suffisso –**issimo**/-**issima**/-**issimi**/-**issime** all'aggettivo.*

Qualche

qualche temporale   **qualche** nuvola

Qualche significa alcuni/alcune ed è invariabile. Il nome seguente è sempre al singolare.

Facciamo il punto
Gioco

Si gioca in gruppi di 3 – 5 persone con 1 dado e pedine. A turno i giocatori lanciano il dado e avanzano con la loro pedina di tante caselle quanti sono i punti indicati sul dado.
Con il verbo della casella bisogna formare delle frasi al passato prossimo seguendo i seguenti criteri:

a) numero lanciato con i dadi:
   1 = io; 2 = tu; 3 = lui, lei, Lei;
   4 = noi; 5 = voi; 6 = loro
b) casella verde = frase affermativa,
c) casella celeste = frase negativa
Vince chi arriva prima al traguardo.

Caffè culturale

Agriturismo in Italia

a. Scegli le informazioni che ritieni corrette.

L'agriturismo è

- [ ] un'agenzia di viaggi specializzata in gite in campagna.
- [ ] un posto dove si può dormire, mangiare e comprare prodotti tipici.
- [ ] un posto dove si va in vacanza tipico del Sud Italia.
- [ ] un posto dove dormire per pochi soldi.
- [ ] una fattoria dove si lavora in cambio di ospitalità.
- [ ] una nuova tendenza: andare a vivere in campagna per brevi periodi.

b. Confronta le risposte con un compagno e poi leggi il testo per verificare se le ipotesi sono corrette.

Agriturismo

Le aziende agrituristiche sono prima di tutto aziende agricole. L'apertura al pubblico è solo un aspetto, e per molti versi secondario, della loro attività.

Alloggio
La tipologia delle stanze può variare molto a seconda dell'agriturismo. Ci sono alcune camere dotate di tutti gli optional (bagno, telefono, aria condizionata, tv satellitare) e altre più rustiche con il bagno in comune.

Ristoro
Tra i piatti tipici che troverete nella descrizione degli agriturismi, molti sono legati alla stagionalità dei prodotti e, quindi, non sono sempre disponibili.

Apertura
Gli agriturismi non sono aperti tutto l'anno e quelli che effettuano attività di ristoro possono, per legge, esercitare l'attività per un massimo di 210 giorni l'anno: non sono quindi aperti tutti i giorni. Prima di recarvi in un agriturismo fate sempre una telefonata per accertarvi che l'agriturismo sia effettivamente aperto.

Prodotti
La maggior parte dei prodotti che vengono serviti negli agriturismi che effettuano servizio ristoro è di produzione dell'azienda.

Costi
I prezzi possono variare molto a seconda del servizio offerto, della zona e, nel caso della ristorazione, dei piatti e dei vini scelti. In ogni caso va sfatato il falso mito "agriturismo = spendere poco".

Dove

Oltre la metà delle aziende si trova in collina e più di un terzo in montagna; solo il 14% è situato in pianura. Quasi la metà del totale degli agriturismi si concentra nel Nord del Paese. Complessivamente, si conferma una presenza agrituristica molto diffusa e storicamente radicata in Toscana e Alto Adige, ma l'attività agrituristica presenta dimensioni significative anche in Veneto, Lombardia, Umbria, Piemonte, Emilia-Romagna, Campania, Marche e Sardegna.

da www.agriturismoverona.it

c. Rispondi alle domande, poi confrontati con alcuni compagni.

1. Nel tuo paese c'è qualcosa di simile all'agriturismo? [ ] Sì. [ ] No. [ ] Non lo so.

2. Ti piacerebbe andare in un agriturismo italiano? [ ] Sì. [ ] No, grazie! [ ] Dipende.

3. Hai deciso di andare. Che tipo di camera chiedi?
- [ ] Con tutti gli optional.
- [ ] Rustica, ma con il bagno in camera.
- [ ] Il più possibile rustica.

4. Che tipo di agriturismo preferisci? [ ] In campagna. [ ] In montagna. [ ] Al mare.

5. Cosa ti piacerebbe mangiare?
- [ ] Piatti raffinati. [ ] Quello che capita.
- [ ] Prodotti tipici del luogo e di stagione.

6. Quale regione scegli? _____

Bilancio

Dopo queste lezioni, che cosa so fare?

Chiedere e dare informazioni stradali ☐ ☐ ☐

Parlare di viaggi e vacanze ☐ ☐ ☐

Parlare del tempo ☐ ☐ ☐

Raccontare fatti passati ☐ ☐ ☐

Chiedere informazioni su fatti passati ☐ ☐ ☐

Descrivere un luogo ☐ ☐ ☐

Scusarmi ☐ ☐ ☐

Esprimere dispiacere ☐ ☐ ☐

Cose nuove che ho imparato

10 parole o espressioni che mi sembrano importanti:

Una cosa particolarmente difficile:

Una curiosità sull'Italia e gli italiani:

Le mie strategie

Leggere la stampa

1. Provo a leggere un quotidiano italiano per capire quali sono i principali temi di attualità in Italia:

   a. ogni volta che trovo una parola nuova, la cerco nel dizionario; ☐

   b. cerco nel dizionario solo le parole che mi sembrano importanti per capire il senso generale dell'articolo; ☐

   c. non cerco nessuna parola perché interrompere la lettura mi dà fastidio; ☐

   d. leggo altri articoli simili in italiano per approfondire il tema e capire meglio il primo articolo; ☐

   e. leggo un articolo simile nella mia lingua per capire meglio quello in italiano; ☐

   f. smetto di leggere se ci sono molte parole che non conosco; proverò a leggerlo di nuovo in futuro; ☐

   g. cerco di capire il senso generale e ne discuto con un italiano in seguito; ☐

   h. per capire una parola che mi sembra importante, uso solo un dizionario italiano monolingue; ☐

   i. leggo solo le parti importanti (titolo, sottotitolo, inizio e fine dell'articolo). ☐

2. Secondo te quali sono le strategie di maggior successo in questa situazione e perché?
   Discutine con un compagno.

Mi metto alla prova!

Vuoi partecipare a un forum su Internet in cui si raccontano le proprie esperienze di viaggio. Puoi prendere come modello i racconti che trovi su www.cisonostato.it. Scrivi di una tua esperienza di viaggio e indica dove sei andato, con quale mezzo di trasporto, dove hai alloggiato, eccetera. Indica anche luoghi e attrazioni da consigliare ad altre persone.

Sapori d'Italia

1 Alimentari

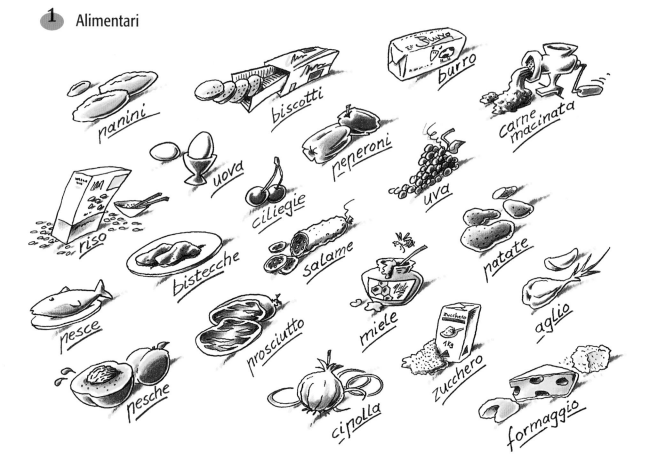

panini · biscotti · burro · carne macinata · uova · peperoni · uva · riso · ciliegie · bistecche · salame · miele · patate · aglio · pesce · prosciutto · zucchero · pesche · cipolla · zucchero · formaggio

Dove preferisci comprare questi prodotti? Confronta poi la tua lista con quella di un compagno. Avete le stesse abitudini?

in un supermercato: _____

al mercato: _____

in un negozio di alimentari: _____

in un negozio specializzato: _____

in un negozio di prodotti biologici: _____

E 1 *Discutete in piccoli gruppi: quali di questi prodotti mangiate volentieri? Quali no? Quali avete sempre in casa?*

2 **Fare la spesa**

CD 57

Paolo va a fare la spesa.
Ascolta e collega i dialoghi alle foto dei negozi.

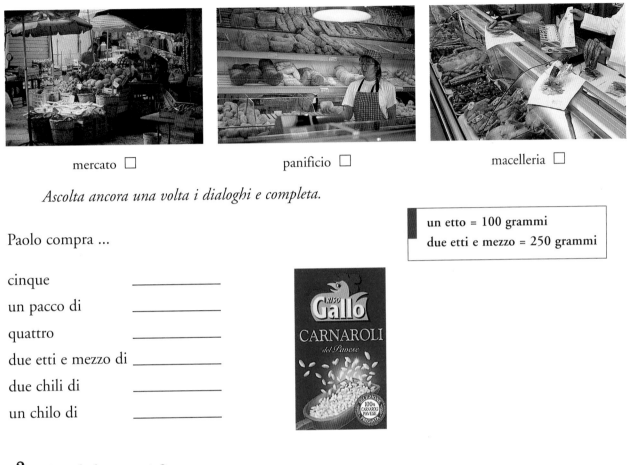

mercato ☐   panificio ☐   macelleria ☐

Ascolta ancora una volta i dialoghi e completa.

> un etto = 100 grammi
> due etti e mezzo = 250 grammi

Paolo compra ...

cinque _____

un pacco di _____

quattro _____

due etti e mezzo di _____

due chili di _____

un chilo di _____

8

3 **Cosa hai comprato?**

Completa la lista della spesa con gli alimenti dell'attività 1 e cerca di indovinare cosa
ha comprato il/la tuo/a compagno/a. Avete 2 minuti di tempo. Vince chi ha, dopo 2
minuti, più "sì".

cinque _____

un pacco di _____

quattro _____

due etti e mezzo di _____

due chili di _____

un chilo di _____

■ Hai/ha comprato 5 uova?
◆ Sì./No.

E 2

4 In un negozio di alimentari

CD 58

■ Buongiorno, Angelo!

▼ Oh, buongiorno signora Ferri, allora cosa desidera oggi?

■ Due etti di mortadella. Ma la vorrei affettata sottile sottile, per cortesia.

▼ Ma certo, signora. Guardi un po': va bene così?

■ Perfetto!

▼ Ecco fatto. Ancora qualcosa?

■ Sì. Un pezzo di parmigiano. Ma non lo vorrei troppo stagionato ...

▼ Piuttosto fresco allora.

■ Sì, appunto.

▼ E quanto ne vuole?

■ Circa mezzo chilo.

▼ Benissimo ... Mezzo chilo. Qualcos'altro?

■ Sì, un litro di latte fresco, un vasetto di maionese, delle olive e poi ... dello yogurt magro, due confezioni.

▼ Benissimo. Allora ... latte, maionese, yogurt ... Le olive le vuole verdi o nere?

■ Verdi e grosse, circa due etti.

▼ Altro?

■ No, nient'altro, grazie.

▼ Grazie a Lei. Allora ecco, si accomodi alla cassa.

> La mortadella **la** vorrei affettata sottile.
> Il parmigiano non **lo** vorrei molto stagionato.
> Le olive **le** vorrei verdi e grosse.
> Gli yogurt **li** vorrei magri.
> Quanto/quanta/quanti/quante **ne** vuole?

5 Completa

Nel negozio di alimentari la signora Ferri prende due etti di mortadella, ma

_____ vuole affettata molto sottile. Desidera anche del parmigiano, ma _____

vuole fresco. La signora _____ prende mezzo chilo. Poi compra anche delle

olive. _____ prende circa due etti e _____ vuole verdi e grosse.

E 3·4
5

6 In un negozio

In coppia, fate dei dialoghi secondo il modello.

parmigiano – fresco/stagionato – 3 etti

> ▲ Vorrei del parmigiano.
> ◆ Lo preferisce fresco o stagionato?
> ▲ Mah ... fresco.
> ◆ Quanto ne vuole?
> ▲ Tre etti.

E 6

prosciutto – cotto/crudo – 2 etti
peperoni – gialli/verdi – mezzo chilo
vino – bianco/rosso – due bottiglie
olive – verdi/nere – 3 etti e mezzo
uva – nera/bianca – due chili
latte – fresco/a lunga conservazione – 1 litro
yogurt – magro/intero – 4 confezioni

> del parmigiano
> dello yogurt

7 La risposta giusta

Come rispondi a queste domande?

Cosa desidera oggi?
Ancora qualcosa?
Va bene così?
Quanto ne vuole?

Mezzo chilo.

Nient'altro, grazie.

Due etti di mortadella.

Sì, perfetto!

E 7·8

8 Fra negoziante e cliente

In coppia completate il dialogo.

A = Cliente

A saluta B

A vuole del salame, ma affettato molto sottile

A risponde

A risponde di sì

A risponde di sì e ordina un'altra cosa.

Se volete, continuate il dialogo a piacere.

B = Negoziante

B risponde al saluto e domanda ad A cosa desidera

B chiede quanto ne vuole

B taglia una fetta e chiede se va bene

B domanda ad A se desidera qualcos'altro

8

9 La lista della spesa

Lavorate in coppia e fate una lista delle cose da comprare per un picnic con degli amici.
Poi A fa il cliente e chiede gli alimenti scritti nella lista, B fa il negoziante e risponde.

10 Mozzarella, aceto balsamico e ...

Conosci questi prodotti tipici italiani?
Li compri qualche volta?
Usi prodotti italiani in cucina? Quali?

Il posto della pasta

Leggi il seguente testo e rispondi poi alle domande.

Carpaneto è un paese di circa settemila abitanti, in provincia di Piacenza: zona di castelli, colline, vigneti e cantine. Di domenica il paese ospita un grande e animato mercato. Le attrattive per venire da queste parti durante un weekend, insomma, non mancano. Fra l'altro, si può approfittare per fare la spesa nel negozio di pasta fresca di Lucia Lucchini, che lavora qui con la figlia Ambra e la nuora Raffaella.

Qui si vende solo pasta tipica regionale, preparata quotidianamente con un lavoro che ha inizio al mattino alle sette e finisce dodici e più ore dopo. Il prodotto più richiesto sono i tortelli, soprattutto quelli di magro con ricotta, spinaci e parmigiano reggiano. (...) Inoltre si possono acquistare torte salate e dolci, crostate di frutta fresca e pizza al taglio. Il negozio rimane aperto anche la domenica mattina, quando i mariti, che hanno altre attività durante la settimana, vengono a dare una mano.

L'Angolo Dolce e Salato
Via Marconi – Carpaneto (PC)
Tel. 0523-850719

(da La cucina italiana)

1. Quanti abitanti ha Carpaneto?
2. Che cosa c'è di interessante in questo paese?
3. Che tipo di negozio è «L'Angolo Dolce e Salato»?
4. Chi lavora in questo negozio?
5. Quali prodotti si vendono qui?
6. In che giorno i mariti aiutano Lucia, Ambra e Raffaella?

> **si vende** pasta tipica regionale
> **si possono** acquistare torte salate e dolci

Il mio negozio preferito

Conosci un negozio un po' speciale? Dov'è? Com'è? Che cosa si può comprare?

In Italia si fa così

Lo sai? Forma delle frasi.

Con il pesce	si prepara	il cappuccino.
Gli spaghetti	non si bevono	con la mozzarella.
Dopo i pasti	si mangiano	solo con la forchetta.
Il salame	non si beve	in macelleria.
I vini rossi	si beve	freddi.
A colazione	non si compra	il vino bianco.
La vera pizza	non si mangiano	i salumi.

E 9

Confronta le abitudini italiane con quelle del tuo Paese.

> Anche da noi con il pesce si beve il vino bianco.
> Da noi, invece, a colazione si mangiano anche i salumi.

14 Come si fa il ragù?

CD 59

Ascolta la telefonata e metti nella giusta successione i disegni.

a. b. c. d. e.

Ascolta di nuovo la telefonata e completa la ricetta.

Tagliare a pezzettini una _____, uno spicchio d'_____ , una _____ e una

costa di _____. Fare rosolare il tutto in un po' d' _____. Quando le verdure

sono ben rosolate, aggiungere circa mezzo chilo di _____, mescolare

bene, far cuocere, salare e pepare. Poi versare mezzo bicchiere di _____ bianco o

rosso. Quando il _____ è ben evaporato, aggiungere due scatole da mezzo chilo

di _____ pelati. Far cuocere a fuoco basso per _____ ore.

E 10

15 Non solo pizza

Conosci delle ricette italiane? Hai mai cucinato dei piatti italiani? Quali?

E INOLTRE...

1 Le stagioni

A quale stagione associ questi prodotti?

2 In quale stagione?

Segna con una X quando compri più spesso questi prodotti.
Poi in coppia confrontate se avete le stesse abitudini.

	in primavera	in estate	in autunno	in inverno	mai
mandarini					
uva					
funghi					
gelato					
asparagi					
fagioli					
castagne					
cioccolata					
fragole					
pomodori					

3 La mia stagione preferita

E 11·12
13

Voi quale stagione preferite? Perché? Parlatene in piccoli gruppi.

Per comunicare

Dove preferisci/preferisce comprare ...?
In un supermercato/al mercato/in un negozio di prodotti biologici ...

Cosa desidera?
(Vorrei) un pacco di spaghetti/un litro di latte/una bottiglia di vino/del formaggio ...

Quanto/quanta/quanti/quante ne vuole?
Un chilo/mezzo chilo/due etti/un pacco/un litro/una bottiglia.

Il prosciutto come lo vuole?
Cotto./Crudo.

Va bene così?
Sì, perfetto.

Ancora qualcosa?/Altro?/Qualcos'altro?
Sì, del pane/Nient'altro, grazie.

Che stagione preferisci/preferisce?
La primavera./L'estate./L'autunno./L' inverno.

Grammatica

Le quantità

Vorrei un chilo **di** mele/due etti **di** mortadella/un pacco **di** pasta/un litro **di** latte/una bottiglia **di** vino.
Vorrei mezzo chilo **di** carne macinata.

*Le quantità sono sempre seguite dalla preposizione **di**.*

I partitivi al singolare

Vorrei **del** formaggio/**della** carne/**dell'**aglio/**dello** yogurt.

*Le quantità indefinite si esprimono con i partitivi, cioè con la preposizione **di** + articolo determinativo (**del, della, dello, dell'**).*

La costruzione impersonale (si + verbo)

In macelleria **si vende** la carne (singolare).
In macelleria non **si vendono** i salumi (plurale).

Quando il sostantivo che segue il verbo è singolare, il verbo si coniuga alla terza persona singolare; quando il sostantivo è plurale, il verbo si coniuga alla terza persona plurale.

Pronomi diretti

Vorrei del **parmigiano**.
Lo vuole stagionato o fresco?/**Quanto ne** vuole?

Vorrei dell'**uva**.
La vuole bianca o nera?/**Quanta ne** vuole?

Vorrei dei **peperoni**.
Li vuole verdi o gialli?/**Quanti ne** vuole?

Vorrei delle **olive**.
Le vuole verdi o nere?/**Quante ne** vuole?

*I pronomi diretti **lo**, **la**, **li**, **le** si usano per sostituire un nome (oggetto). **Lo** si usa con i nomi maschili singolari, **la** con i nomi femminili singolari, **li** con i nomi maschili plurali e **le** con i nomi femminili plurali.*
*Il pronome **ne** indica una parte di un tutto:*

Quanto **ne** vuole?

I pronomi diretti vanno prima del verbo.

Il parmigiano come **lo** vuole?
La mortadella come **la** vuole?
I peperoni come **li** vuole?
Le olive come **le** vuole?

Nella lingua parlata si usa spesso mettere il nome (oggetto) all'inizio della frase e ripetere anche il pronome diretto corrispondente.

8

Vita quotidiana

1 Chi è?

Collega le frasi alle foto.

Giovanni – panettiere

Claudia – impiegata di banca

Andrea – vigile

Maurizio – cuoco

Albina – segretaria

1. Finisce di lavorare a mezzanotte.
2. Lavora dal lunedì al venerdì.
3. A volte lavora anche la domenica.
4. Lavora dal lunedì al sabato, dalle 9 alle 13.
5. Comincia a lavorare alle tre e mezzo del mattino.

E 1·2

> Comincio a lavorare alle .../prima delle .../dopo le ...
> Finisco di lavorare alle .../prima delle .../dopo le ...
> Lavoro dalle ... alle .../fino alle .../di mattina/di pomeriggio
> Faccio una pausa fra le ... e le .../dalle ... in poi

2 Quando lavori?

Chiedi a due o tre compagni in quali giorni della settimana lavorano e che orario di lavoro hanno.

3 Ti alzi presto la mattina?

CD 61

- ■ E tu che lavoro fai?
- ▼ Sono panettiere.
- ■ Ah, allora ti alzi presto la mattina.
- ▼ Eh, sì, purtroppo sì, alle tre e mezza, perché comincio a lavorare alle quattro.
- ■ Oddio! E quante ore lavori?
- ▼ Mah, di solito fino all'una.
- ■ È un lavoro duro ...
- ▼ Beh, abbastanza, però ha anche dei lati positivi, eh ...
  Per esempio il pomeriggio sono sempre libero.
- ■ Ma poi non sei stanco?
- ▼ Naturalmente. Però dopo pranzo mi riposo un po'
  e poi ho tempo per mia moglie e i figli.
- ■ Va be', certo.
- ▼ E tu dove lavori?
- ■ In un negozio di dischi. Sono commessa.
- ▼ Quindi hai un orario di lavoro regolare.
- ■ Sì, dalle nove alle dodici e mezza e poi dalle tre e mezza alle otto.
- ▼ E durante la pausa che fai, torni a casa ... ?
- ■ Raramente. Se ho fame mangio un panino o pranzo in un self-service,
  a volte vado in piscina, in palestra ... o faccio semplicemente due passi in città.

alzar**si**
mi alzo
ti alzi
si alza
ci alziamo
vi alzate
si alzano

9

4 Completa

> Ho un *orario* di lavoro *regolare.*
> *Raramente torno* a casa.

Giovanni _____ panettiere. La mattina si _____ alle 3.30 e comincia _____ lavorare

alle 4.00. Di solito lavora _____ all'una. Dopo _____ è un po' stanco e _____

riposa un po'. Gabriella invece _____ in un negozio di dischi. Ha un _____

di lavoro regolare: _____ 9.00 ____ 12.30 e _____ 15.30 _____ 20.00. _____

la pausa _____ torna a casa. Di solito _____ un panino o pranza in un self-

service, a volte _____ in palestra o in piscina.

E 3·4·5

5 Dal lunedì al venerdì

*In coppia preparate cinque domande per informarvi su come passa la giornata un/una
compagno/-a di corso. Poi formate nuove coppie, intervistate il/la nuovo/-a partner e
scoprite se avete orari simili.*

6 Una giornata normale

Collega le frasi ai disegni.

a.

b.

c.

d.

E 6·7·8

e.

f.

g.

h.

- [ ] Dalle otto in poi guarda la TV.
- [ ] Si lava, si veste e poi va al lavoro.
- [ ] Pranza fra l'una e le due.
- [ ] Dopo il lavoro si riposa un po'.

- [ ] Prende un caffè al bar.
- [ ] Lavora fino alle cinque.
- [ ] Va sempre a letto dopo le undici.
- [ ] Si sveglia prima delle sette.

7 Che orari hanno?

In piccoli gruppi descrivete la giornata di queste persone.

Luisa – mamma

Giustina – pensionata

Alberto – tassista

Domenico – pizzaiolo

8 Il sabato di Davide ...

Guarda i disegni. Come descrive Davide il proprio sabato? Scrivi accanto a ogni frase il numero del disegno corrispondente.

1.
2.
3.
4.
5.
6.

○ Mangio spesso fuori con gli amici.
○ Mi sveglio tardi.
○ Faccio una passeggiata con la mia ragazza.
○ La sera a volte sto a casa con Sara.
○ Quando torno a casa faccio la doccia.
○ Mi metto una tuta e poi faccio sport.

CD 62 *Adesso ascolta il dialogo fra Davide e Angela. Che cosa fa lui ancora il sabato? Cerca di scoprire altre informazioni, oltre a quelle date dai disegni. E come passa il sabato Angela?*

Davide ...
Angela invece ...

E voi come passate di solito il sabato? Parlatene in piccoli gruppi.

9 La giornata dell'italiano

Collega i disegni con i testi in basso.

① ore 7.30: L'uscita di casa   ② ore 8.00: La colazione

③ ore 13.00: Il pranzo

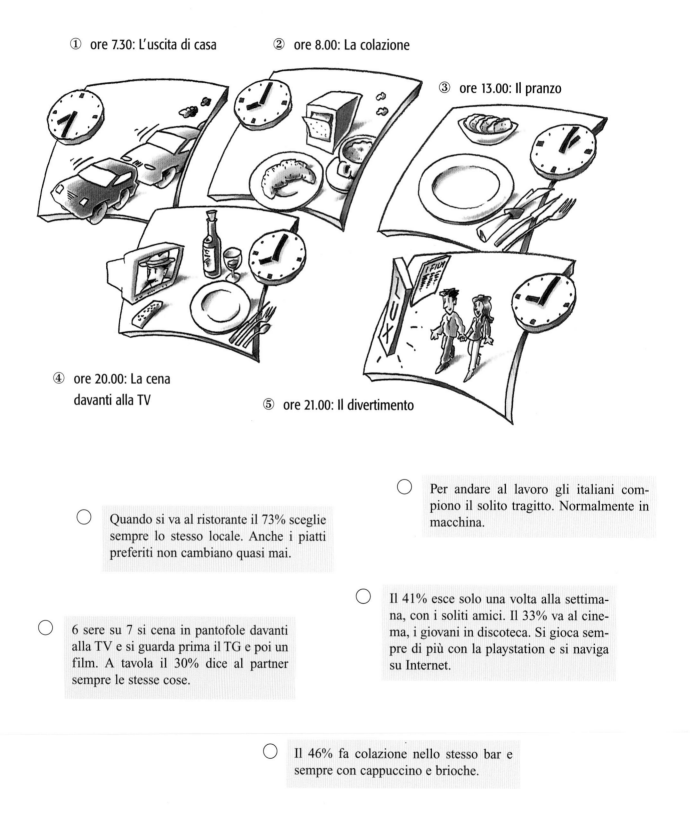

④ ore 20.00: La cena
davanti alla TV

⑤ ore 21.00: Il divertimento

○ Per andare al lavoro gli italiani compiono il solito tragitto. Normalmente in macchina.

○ Quando si va al ristorante il 73% sceglie sempre lo stesso locale. Anche i piatti preferiti non cambiano quasi mai.

○ Il 41% esce solo una volta alla settimana, con i soliti amici. Il 33% va al cinema, i giovani in discoteca. Si gioca sempre di più con la playstation e si naviga su Internet.

○ 6 sere su 7 si cena in pantofole davanti alla TV e si guarda prima il TG e poi un film. A tavola il 30% dice al partner sempre le stesse cose.

○ Il 46% fa colazione nello stesso bar e sempre con cappuccino e brioche.

Sorpresa, la routine fa felici

Otto italiani su dieci schiavi delle proprie abitudini

Cappuccino, brioche, lavoro, cena davanti alla tv, al cinema una volta alla settimana: sempre gli stessi ritmi, gli stessi amici, gli stessi posti.
Gli italiani sono campioni di creatività e fantasia? Non sembra. Una statistica fatta su un campione di 918 italiani dai 19 ai 65 anni disegna la giornata standard: cappuccino e brioche nel solito bar (46 per cento), solito tragitto in macchina per andare in ufficio; lavoro: per

carità, posto fisso fino alla pensione. La sera a casa, cena davanti alla tv.

Anche il divertimento è sempre uguale. Il 41 per cento esce solo di sabato, ovvio, e con gli stessi amici. Uno su tre va al cinema. Il ristorante è sempre quello per il 73 per cento. Un italiano su due, da quattro anni, non cambia vacanza. Parlarsi? Solo per dirsi quel che l'altro si aspetta. Il 30 per cento sa già la risposta del partner.

Bisogno di sicurezza e paura del rischio: per l'81 per cento di giovani dai 19 ai 29. Comodità e rifiuto di scegliere: per il 66 per cento tra i 29 e i 49. Over 50: assenza di voglia e forza di cambiare. Oggi è routine anche giocare con playstation, Internet e telefonini.

Ma tutto questo – dice lo psicologo – alla fine può portare la gente ad annoiarsi. Fa bene invece cambiare casa, città, lavoro e anche amicizie.

(adattato da *la Repubblica*)

Scrivi adesso tre informazioni contenute nel testo e non riportate a p. 92.

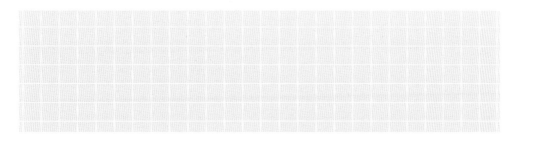

Rileggi i testi a pag. 92: ci sono cinque verbi usati alla forma impersonale. Quali sono?

Rileggi l'articolo su questa pagina: nella seconda parte ci sono quattro verbi riflessivi. Quali sono?

E 9

10 **Schiavi delle abitudini?**

Formate dei gruppi di massimo 4 persone. Scambiatevi le domande scritte in basso e riportate le risposte nella tabella. Alla fine uno studente per ogni gruppo comunicherà alla classe i risultati della statistica. Siete anche voi abitudinari come gli italiani?

	1	2	3	4	Totale
Come vai al lavoro/a scuola?					
In macchina.	☐	☐	☐	☐	_____
Con i mezzi pubblici (tram, autobus, metropolitana).	☐	☐	☐	☐	_____
A piedi.	☐	☐	☐	☐	_____
Dipende.	☐	☐	☐	☐	_____
Come fai colazione?					
Sempre nello stesso modo.	☐	☐	☐	☐	_____
A volte in un modo, a volte in un altro.	☐	☐	☐	☐	_____
Pranzi sempre nello stesso posto?					
Sì.	☐	☐	☐	☐	_____
No.	☐	☐	☐	☐	_____
Durante la cena guardi la TV?					
Sì, sempre.	☐	☐	☐	☐	_____
Sì, a volte.	☐	☐	☐	☐	_____
No, mai.	☐	☐	☐	☐	_____
Quante volte alla settimana esci la sera?					
Mai.	☐	☐	☐	☐	_____
1 - 2 volte.	☐	☐	☐	☐	_____
3 volte o più.	☐	☐	☐	☐	_____
Giochi con la playstation?					
Sì, spesso.	☐	☐	☐	☐	_____
Sì, a volte.	☐	☐	☐	☐	_____
No, mai.	☐	☐	☐	☐	_____
Navighi su Internet?					
Sì, sempre.	☐	☐	☐	☐	_____
Sì, a volte.	☐	☐	☐	☐	_____
No, mai.	☐	☐	☐	☐	_____

E INOLTRE...

1 Auguri!

A quali cartoline si riferiscono i testi?

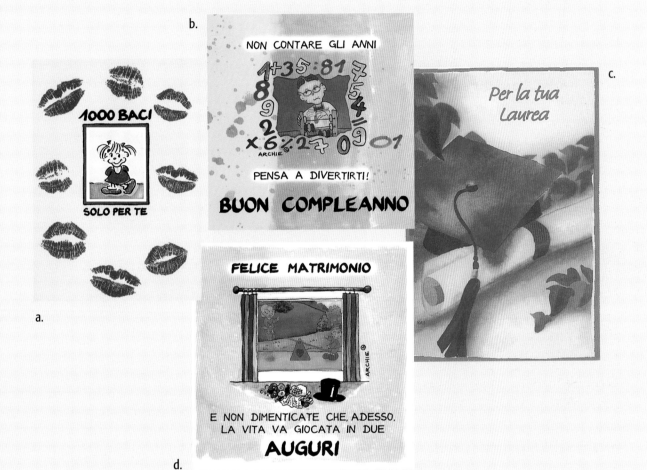

b.

NON CONTARE GLI ANNI

PENSA A DIVERTIRTI!

BUON COMPLEANNO

c.

Per la tua Laurea

1000 BACI

SOLO PER TE

a.

FELICE MATRIMONIO

E NON DIMENTICATE CHE, ADESSO,
LA VITA VA GIOCATA IN DUE

AUGURI

d.

①
```
Tanti affettuosi auguri
per i tuoi 50 anni!
     Silvio e Miriam
```

③
```
Complimenti. Sei stato bravissimo!
Ed ora in bocca al lupo per la
tua carriera!
     Zia Pia
```

②
```
Felicitazioni vivissime per
il vostro matrimonio.
     Nicola Freddi
```

④
```
Sei una persona splendida!
Ti amo tanto, tanto, tanto!
     Tuo Riccardo
```

2 Feste e ricorrenze

Ecco alcune feste importanti. Collegale alle date giuste.

Natale   Il primo gennaio
Ferragosto   Il 14 febbraio
La festa dei lavoratori   Il 25 dicembre
Capodanno   Il 19 marzo
San Silvestro   Il primo maggio
La festa della donna   Il 2 giugno
San Giuseppe (festa del papà)   Il 15 agosto
San Valentino (festa degli innamorati)   L'8 marzo
La festa della Repubblica   Il 31 dicembre

In coppia controllate adesso le risposte.

Quali di queste feste ci sono anche nel vostro Paese? Festeggiate altre ricorrenze importanti?

 3 Cosa dici in queste occasioni?

È il primo gennaio.   Buon viaggio!
Bevete un bicchiere di prosecco con un amico.   Tanti auguri!
È il compleanno di un'amica.   Alla salute!/Cin cin!
È il 25 dicembre.   Congratulazioni!
Accompagnate un amico alla stazione.   Buon anno!
Degli amici partono per il mare.   Buon Natale!
Siete a tavola.   Buone vacanze!
Un'amica ha finalmente trovato lavoro.   Buon appetito!

Per comunicare

Quando cominci/comincia a lavorare?
Quando finisci/finisce di lavorare?
Prima delle nove/dopo le sei/dalle … in poi/
molto tardi …

Lavoro dalle … alle …/fino alle … /di mattina/
di pomeriggio.

Ti alzi/si alza presto la mattina?
Purtroppo sì./Sì, ma poi mi riposo dopo pranzo.
Dipende.

Che orari hai/ha?
Mi alzo prima delle …/vado al lavoro alle …/
dopo il lavoro torno a casa/vado a letto alle …

Tanti (affettuosi) auguri!/Complimenti!/
Felicitazioni (vivissime)!/Congratulazioni!/
Buone vacanze!/Buon viaggio!/Buon Natale!/
Buon anno!/Buon appetito!/
Alla salute!/Cin cin!

Grammatica

I verbi riflessivi

	riposarsi
(io)	mi riposo
(tu)	ti riposi
(lui, lei, Lei)	si riposa
(noi)	ci riposiamo
(voi)	vi riposate
(loro)	si riposano

alzarsi	riposarsi
chiamarsi	svegliarsi
lavarsi	vestirsi

Non mi alzo prima delle 8.

Il pronome riflessivo si mette prima del verbo.
*La negazione **non** si mette prima del pronome riflessivo.*

Alcune espressioni di tempo

Esco di casa prima delle dodici/dopo le dodici/di
pomeriggio/di sera/di notte/dalle dodici in poi/
fra le dodici e le due/dalle dodici alle due.

Aggettivo / avverbio

1. Oggi ho avuto **una giornata normale**.
2. **Normalmente vado** al lavoro in macchina.
3. Per andare al lavoro faccio **il solito tragitto**.
4. **Di solito ceno** verso le 8.

*Negli esempi 1 e 3 **normale** e **solito** servono per descri-*
vere meglio un oggetto. In questo caso sono aggettivi.
*Negli esempi 2 e 4 **normalmente** e **di solito** descrivono*
il modo in cui si fa qualcosa. Questi sono avverbi. Gli
avverbi sono invariabili. Molti avverbi si costruiscono
con la forma femminile degli aggettivi in –o (o con gli
*aggettivi in –e) + il suffisso –**mente**.*

tranquillo	→ tranquilla	→ tranquillamente
libero	→ libera	→ liberamente
elegante	→ elegante	→ elegantemente

Gli aggettivi in –le e in –re perdono la –e nella forma
avverbiale:

normal(e) + mente	→	normalmente
regolar(e) + mente	→	regolarmente

*Alcuni avverbi hanno forme particolari (**di solito, certo,***
***troppo, bene, male**).*

Due modi di dire con il verbo *fare*

Fare due passi = fare una piccola passeggiata
Fare colazione = mangiare la mattina

Fare acquisti

1 Come si chiamano?

Scrivi sotto ai disegni il nome delle persone descritte.

Fabrizio è sempre elegante. Oggi ha un vestito grigio, una camicia bianca,
una cravatta a righe e un impermeabile beige.

Vittoria si veste in modo sportivo. Porta spesso jeans aderenti, gli stivali,
una giacca a vento blu e una maglia rossa a righe bianche.

A *Sandro* piacciono i pantaloni di pelle con una giacca di lana.
Oggi indossa una giacca verde.

Per una festa oggi *Eleonora* ha indossato un vestito celeste sotto un cappotto blu.
Ha scelto una borsetta nera e le scarpe pure nere con i tacchi alti.

Eugenio preferisce i jeans e li mette volentieri con un pullover verde o giallo
e con un giubbotto marrone.

Adriana ama l'abbigliamento classico. Oggi è andata in ufficio con una gonna
nera, una camicetta gialla e le scarpe basse.

E 1 _____   _____   _____

2 Cerca qualcuno che ...

Intervista i tuoi compagni. Ad ogni persona puoi fare al massimo due domande.
Vince chi per primo completa la lista.

	nome		*nome*
ha un maglione arancione.		di solito indossa le camicie di cotone.	
porta volentieri i jeans.		ha un paio di pantaloni di pelle.	
ama l'abbigliamento classico.		odia le cravatte.	
ha una giacca di pelle marrone.		in inverno mette la giacca a vento.	
al lavoro veste in modo sportivo.		oggi non ha la borsa.	

3 Cerco un pullover

CD 64

- ▪ Buonasera.
- ▽ Buonasera. Desidera?
- ▪ Cerco un pullover da uomo.
- ▽ Che taglia?
- ▪ La 50 o la 52.
- ▽ Un momento ... Le piace questo modello?
- ▪ Mah ... è un regalo per mio marito ...
  Sa, mi sembra un po' troppo giovanile.
- ▽ Ma no, signora. Questi sono i colori
  di moda per la prossima stagione.
- ▪ Eh ... sì, ma non so se a lui piacciono.
- ▽ E quest'altro modello come Le sembra?
  È un capo classico che va bene con tutto.
- ▪ Sì, questo è proprio bello. E quanto costa?
- ▽ Dunque ... 104 euro.

- ▪ Mm, veramente è un po' caro.
- ▽ Beh, ma è di ottima qualità.
- ▪ Eh, si vede ... Senta, eventualmente lo posso
  cambiare se a mio marito non piace
  o se non gli sta bene?
- ▽ Certo, ma deve conservare lo scontrino.

mi/a me	
ti/a te	
gli/a lui	
le/a lei	piace/sembra
Le/a Lei	piacciono/sembrano
ci/a noi	
vi/a voi	
gli/a loro	

4 Cerca nel dialogo l'espressione adatta

Che espressioni usa la signora per...

dire che cosa desidera comprare _____

dire la taglia _____

esprimere dei dubbi _____

chiedere se un articolo si può cambiare _____

E 2·3

10

5 Che taglia porta?

In coppia fate un dialogo con i seguenti dati.

A = Cliente

A cerca un paio di pantaloni

A risponde

A dice di sì, ma gli/le sembrano
troppo giovanili

A risponde di sì, ma lo vuole in un altro colore

A chiede il prezzo

A trova i pantaloni un po' cari

B = Commesso/-a

B chiede la taglia

B domanda se i pantaloni gli/le piacciono

B chiede se desidera un altro modello

B mostra un altro paio di pantaloni

B risponde

B dice che i pantaloni sono di ottima qualità

6 Vi piacciono questi capi?

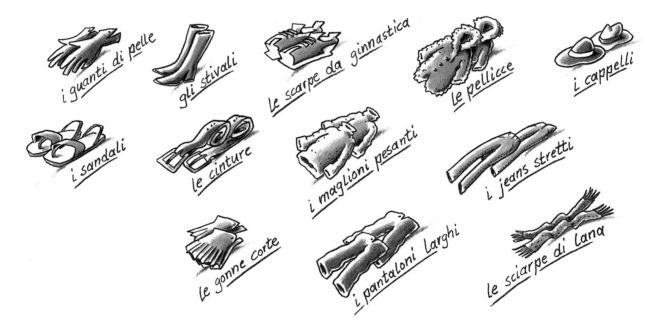

i guanti di pelle *gli stivali* *le scarpe da ginnastica* *le pellicce* *i cappelli*

i sandali *le cinture* *i maglioni pesanti* *i jeans stretti*

le gonne corte *i pantaloni larghi* *le sciarpe di lana*

Formate delle coppie. Parlate dei vostri gusti.

Dite a un'altra coppia che gusti avete.

A me piacciono ... ma non mi piacciono ...
E a te?/E a Lei?

A lui piacciono ... ma non gli piacciono ...
A lei piacciono ... ma non le piacciono ...
A noi piacciono ... ma non ci piacciono ...

10

7 In un negozio di calzature

CD 65

- Perché non provi queste scarpe nere?
- No, sono troppo eleganti. A me piacciono più sportive.
- E quei mocassini?
- Sì, sono belli, ma costano troppo. Non vorrei spendere tanto.
- E che ne dici di quelli? Sono meno cari e secondo me sono pure comodi.
- Sì, forse hai ragione. Li provo.

	dire
(io)	dico
(tu)	dici
(lui, lei, Lei)	dice
(noi)	diciamo
(voi)	dite
(loro)	dicono

> **più** sportivo
> **meno** caro
> **troppo** elegante

8 Completa

Il marito non vuole provare le _____ nere perché sono _____ eleganti.

Le preferisce _____ sportive. I mocassini gli piacciono, ma costano _____ ;

lui non vuole spendere _____ . La moglie vede dei mocassini _____ cari e

che le sembrano pure _____. Anche al marito piacciono e li _____.

10

9 Che ne dice di ...?

Lavorate in coppia. Guardate i disegni e fate dei dialoghi secondo il modello.

Che ne dice di questa/quella cravatta?
No, è troppo ... Preferisco una cravatta più ...

Che ne dici di questi/quegli stivali?
No, sono troppo ... Preferisco degli stivali meno ...

> **quel** vestito
> **quello** scialle
> **quell'** impermeabile
> **quella** gonna
> **quelle** scarpe
> **quei** mocassini
> **quegli** stivali

lungo / corto

sportive / classiche

eleganti / sportivi

larghi / stretti

pesante / leggera

giovanile / classica

E 4·5·6

Appuntamento al centro commerciale

I ragazzi di oggi si incontrano tra negozi di scarpe e vestiti. E qui scherzano, prendono il sole, mangiano la pizza e guardano le vetrine. Per ore e ore.

Vivono in mezzo alle vetrine. Si amano, si odiano, fanno amicizia sotto la luce del neon. Sono i giovani abitanti degli shop-village, i mega centri commerciali sparsi in tutta Italia. A Torino, Bergamo, Modena o Firenze il centro commerciale è diventato un punto di ritrovo di una nuova generazione.

Il motivo di questo successo è semplice: i corridoi degli shop-village sono più colorati, più allegri, più vivaci delle strade di periferia. Così ogni pomeriggio i giovani vengono qui. E trovano, oltre ai negozi, la pizzeria, la birreria, l'edicola, il supermercato e il parrucchiere che fa tagli «speciali». Insomma, il centro commerciale è una minicittà dove i ragazzi guardano gli oggetti che desiderano. E qualche volta li comprano anche. Alessandro, Alex, Monica, Tamara e Annamaria si incontrano al centro commerciale ogni giorno, dopo pranzo. Tornano da scuola, mangiano di corsa e alle due sono già lì.

Tamara, 13 anni, porta la divisa di moda nella compagnia: giubbotto, jeans aderentissimi ma larghi in fondo, scarpe con la zeppa, brillantino al naso. Annamaria, 16 anni e un anellino al naso, preferisce la moda etnica. Alex, 15 anni, invece è un fanatico delle scarpe e ha molte paia di Nike.

«Non stiamo sempre al centro» dice Alessandro, 20 anni, elettricista. «La domenica andiamo al mare o a ballare. Ma qui è più bello perché ci sono i negozi.» Mentre gli altri mangiano una pizza, Monica va a guardare le vetrine. Si innamora di una gonna e di una maglietta, ma costano troppo. «Per comprare i vestiti a volte faccio qualche lavoretto», dice.

Possedere gli oggetti simbolo del consumismo giovanile è molto importante per questi ragazzi. Il telefonino per esempio è un oggetto che tutti vogliono avere e che serve non solo per telefonare, ma anche sempre più spesso per mandarsi dei messaggi scritti.

(da Donna moderna)

Vero o falso?

Secondo l'articolo, i giovani di oggi

	Vero	Falso
a) amano incontrarsi nei centri commerciali	☐	☐
b) preferiscono passare il tempo nelle strade di periferia	☐	☐
c) dopo pranzo restano a casa a studiare	☐	☐
d) si interessano della moda	☐	☐
e) amano il consumismo	☐	☐

I centri commerciali

	Vero	Falso
a) sono delle piccole città	☐	☐
E 7 b) non hanno solo negozi	☐	☐

11 Opinioni

Fai delle frasi in base al modello.

> pantaloni · gonne
> (Secondo me) i pantaloni sono più pratici delle gonne.
> (Secondo me) i pantaloni sono meno eleganti delle gonne.

> I corridoi degli shop-village sono **più** vivaci **delle** strade di periferia.

i giubbotti · le giacche
la seta · il cotone
le scarpe con la zeppa · gli stivali
la pelliccia · il cappotto
il nero · il rosso
i jeans larghi · i pantaloni aderenti
le gonne lunghe · le gonne corte

economico
moderno
pratico
caro
allegro   giovanile
sportivo
elegante   classico   comodo
vivace   bello

E 8

12 Con un po' di fantasia …

In piccoli gruppi provate a indovinare i diminutivi delle seguenti parole: -ino o -etto?
Vince il gruppo che indovina più forme esatte.

> **anellino** = piccolo anello
> **lavoretto** = piccolo lavoro
> **maglietta** = maglia leggera
>   di cotone o di lana
> **telefonino** = cellulare

un piccolo cappello   _____

una piccola pizza   _____

un piccolo gruppo   _____

degli stivali bassi   _____

un cappotto piccolo e stretto _____

un vestito piccolo o leggero _____

un piccolo negozio   _____

E 9

13 Che abbigliamento preferisci?

Intervista un compagno e scopri se avete gusti simili.

Preferisci/preferisce un abbigliamento elegante o sportivo? Classico o originale?
C'è un capo di abbigliamento che indossi/indossa spesso?
Quale colore preferisci/preferisce?

 14 In un negozio di articoli sportivi

CD 66

Ascolta il dialogo e rispondi alle domande.

Guarda questi capi di abbigliamento. Quali nomina la signora?

La signora Ventura nel negozio lavora	da sola.	☐
	con i figli.	☐
	con i fratelli e con qualche commessa.	☐
Svolge questa attività	da più di venti anni.	☐
	da meno di venti anni.	☐
	da meno di dieci anni.	☐
Il cliente tipo del negozio	è elegante.	☐
	è sportivo.	☐
	segue la moda.	☐
I clienti abituali sono	turisti.	☐
	gente del posto.	☐
	turisti e gente del posto.	☐
I clienti possono avere uno sconto	sempre.	☐
	spesso.	☐
	in certi periodi.	☐

15 È vero?

*Completa il questionario, poi confronta le tue abitudini
con quelle di un compagno. Dov'è possibile, dai una spiegazione.*

	sì	no
Trovo conveniente comprare i vestiti in un grande magazzino.	☐	☐
C'è un negozio dove mi piace fare acquisti.	☐	☐
Se è possibile, cerco di avere uno sconto.	☐	☐
Per me è importante acquistare articoli di marca.	☐	☐
Per fare gli acquisti aspetto le svendite di fine stagione.	☐	☐
In generale seguo la moda.	☐	☐
Faccio attenzione alla qualità dei prodotti.	☐	☐
Preferisco fare acquisti nei negozi dove si può pagare con la carta di credito.	☐	☐
Ho già comprato dei capi di abbigliamento in Italia.	☐	☐

E INOLTRE...

1 **In giro per i negozi**

Dove si comprano queste cose?
Collega i prodotti con i negozi.

sigarette

vocabolario

penna

francobolli

... si compra/si comprano in ...

medicine

quaderno

2 **Fare shopping**

CD 67

In che negozio sono le persone?
Scegli fra tabaccheria (a), libreria (b), grandi magazzini (c), negozio di calzature (d).

■ Scusi, dov'è il reparto profumeria?
▼ Al primo piano, vicino all'ascensore. ☐

■ Allora tre cartoline, tre francobolli e un
accendino. Ancora qualcos'altro?
▼ No, è tutto. Quant'è? ☐

■ Queste vanno bene?
▼ Mah, sono un po' strette.
Potrei provare il 42? ☐

■ Scusi, cerco una guida sulla Toscana.
▼ Dunque ... le guide sono lì a destra,
di fronte alla cassa. ☐

3 **Il negozio misterioso**

E 10·11
12

In coppia provate a mettere in scena un piccolo dialogo.
Gli altri studenti devono indovinare dove si svolge.

Per comunicare

Cerco un pullover/un maglione/un paio di pantaloni …

Che taglia (porta)?

La …

Quanto costa questa camicia?

100 €.

Mah, è un po' cara.

Eventualmente posso cambiare questo/-a …?

Che ne dice di quel modello?

Veramente vorrei un capo più elegante/meno sportivo.

Ancora qualcos'altro?

No, è tutto. Quant'è?

Potrei provare *la 42*?

Potrei provare *il 42*?

Grammatica

I colori

I colori con vocale finale in –o ed –e si comportano come normali aggettivi. Alcuni colori hanno delle forme invariabili, per es. **blu, rosa, viola** *e* **beige**.

il cappotto nero   i cappotti neri
la gonna bianca   le gonne bianche
il cappello verde   i cappelli verdi
la camicia blu   le camicie blu

Il comparativo

I pantaloni sono **più** pratici **delle** gonne.
Cerco una borsa **meno** cara **di** questa.

Il comparativo di maggioranza si esprime con **più** *+ aggettivo; il comparativo di minoranza si esprime con* **meno** *+ aggettivo. Il secondo termine di paragone, se è un nome o un pronome, è introdotto da* **di** *(+ articolo).*

Questo o quello?

Questo *si usa per persone o cose che si trovano vicino a chi parla.*

Quello *si usa per persone o cose che si trovano più lontano rispetto a chi parla.*

L'aggettivo dimostrativo **quello** *segue le forme degli articoli determinativi (vedi Grammatica, Lezioni 2 e 3).*

quel vestito   **quegli** stivali

Quando **quello** *sostituisce un sostantivo (pronome dimostrativo), cambiano solo le vocali finali.*

Ti piacciono quei pantaloni neri?
No, preferisco **quelli** (blu).

Pronomi indiretti tonici e atoni

pronomi indiretti atoni		pronomi indiretti tonici
Questo modello	**mi** sembra troppo giovanile.	**A me** i jeans piacciono. E a te?
Questo maglione	**ti** piace ?	**A te** non piace il rosso? Veramente?
Non so se	**gli** va bene questo capo.	**A lui** consiglio una camicia classica, a te invece …
Il rosso non	**le** piace.	**A lei** non piacciono i tacchi alti, a me invece sì.
Signora, come	**Le** sembra quest' altro modello?	**A Lei** sta bene di sicuro il bianco.
Che capo	**ci** consiglia per un matrimonio?	**A noi** non piace l'abbigliamento elegante. E a voi?
Beh,	**vi** consiglio un capo elegante.	**A voi** piacciono le pellicce? A noi no.
Non	**gli** piacciono le gonne.	**A loro** non piace indossare capi sportivi. A noi invece sì.

Facciamo il punto
Gioco

PARTENZA 1 2 3 LIBRERIA

26 STOP 27 28 29 ARTICOLI SPORTIVI 30

25 LATTE HAI VINTO!

24

Si gioca in gruppi di 3 – 5 persone con 1 dado e pedine.
A turno i giocatori lanciano il dado e avanzano con la loro pedina di tante caselle quanti sono i punti indicati sul dado. Se si arriva a una casella con un prodotto alimentare bisogna chiederne una certa quantità. Se si arriva a una

23 ALIMENTARI 44 43 STOP 42 41

22 21 STOP 20 19 18

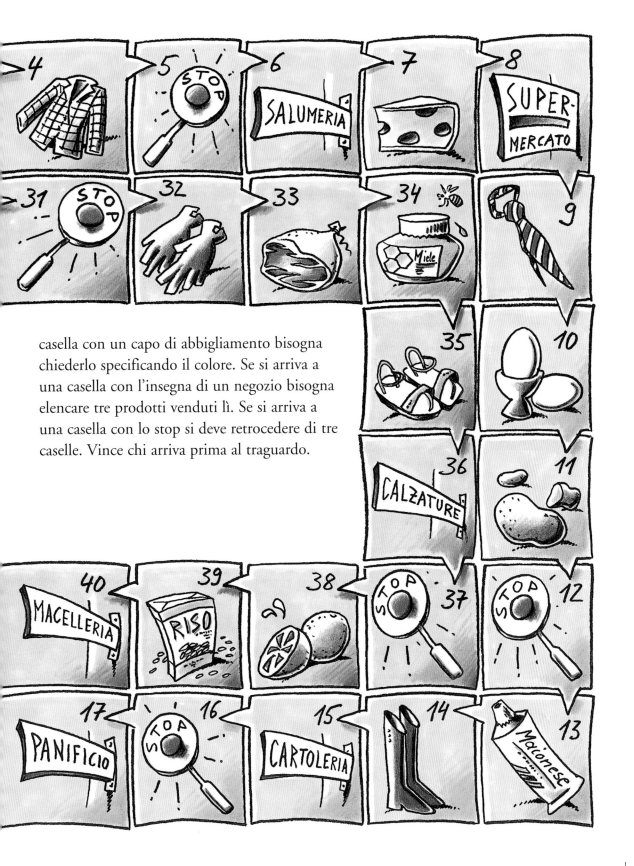

casella con un capo di abbigliamento bisogna chiederlo specificando il colore. Se si arriva a una casella con l'insegna di un negozio bisogna elencare tre prodotti venduti lì. Se si arriva a una casella con lo stop si deve retrocedere di tre caselle. Vince chi arriva prima al traguardo.

Caffè culturale

I pasti degli italiani

a. Metti in ordine cronologico i pasti seguenti:

☐ merenda ☐ colazione ☐ cena ☐ pranzo ☐ aperitivo

b. Ora leggi questo testo sul rito dell'aperitivo in Italia.

Da semplice spuntino del tardo pomeriggio a pasto serale

Il rito dell'aperitivo

Ecco come è cambiato il rito dell'aperitivo che, soprattutto nel Nord Italia, è diventato un appuntamento irrinunciabile. Dall'happy hour milanese allo "spritz" veneto e friulano, fino alla "merenda sinoira" di Torino

Quando si parla di aperitivo, la prima città italiana a cui si pensa è Milano, dove patatine e "bianchino" (un calice di vino bianco frizzante) prima di cena sono da sempre una tradizione irrinunciabile. È proprio nel capoluogo lombardo che il rito dell'aperitivo si è trasformato maggiormente, diventando un vero e proprio fenomeno di tendenza. Durante il fine settimana e nei giorni feriali, prima di cena i giovani si danno appuntamento nei locali più trendy della città per quello che viene chiamato "happy hour", una tradizione anglosassone, modificata secondo le abitudini italiane. Accantonate olive e noccioline, si offrono ricchi buffet a base di pizze, focacce, verdure fritte, insalate, ma anche paste fredde e calde.

Spostandosi nel Nord Est, l'aperitivo è meglio conosciuto come "spritz", termine che risalirebbe al periodo della dominazione asburgica, quando i soldati austriaci, non sopportando l'alto tenore alcolico dei vini veneti, presero l'abitudine di allungarli con acqua. Simile all'happy hour, ma più rustica, è infine la "merenda sinoira"

piemontese, di antiche origini contadine. È una sorta di spuntino serale a base di salumi, formaggi e vino, che un tempo sostituiva la cena. Oggi dalla tavola dei poveri è passata nei locali scintillanti del centro di Torino, dove la si può gustare al bancone o anche comodamente seduti, come una volta.

L'aperitivo nasce, insomma, nella Pianura Padana, ma negli ultimi anni si è diffuso anche al Centro (soprattutto a Roma) e al Sud.

da www.barilla.it

c. Completa la tabella con le informazioni mancanti.

CITTÀ / ZONE IN CUI È TIPICO PRENDERE L'APERITIVO	NOME CON CUI È CONOSCIUTO L'APERITIVO	COSA SI BEVE E/O MANGIA
Veneto / Friuli		

Bilancio

Dopo queste lezioni, che cosa so fare?

Fare acquisti in un negozio di alimentari ☐ ☐ ☐

Descrivere una ricetta ☐ ☐ ☐

Parlare delle mie abitudini alimentari ☐ ☐ ☐

Parlare del mio lavoro ☐ ☐ ☐

Parlare di una mia giornata tipo ☐ ☐ ☐

Fare gli auguri a qualcuno ☐ ☐ ☐

Fare acquisti in un negozio di abbigliamento ☐ ☐ ☐

Fare confronti ☐ ☐ ☐

Cose nuove che ho imparato

10 parole o espressioni che mi sembrano importanti:

Una cosa particolarmente difficile:

Una curiosità sull'Italia e gli italiani:

Le mie strategie

Parlare con gli altri

1. Sono in un negozio di alimentari in Italia; devo fare la spesa al banco dei prodotti freschi per preparare una cena italiana tipica:

   a. chiedo a un altro cliente di aiutarmi, nella mia lingua o in inglese; ☐

   b. cerco tutte le parole utili nel dizionario prima di cominciare a parlare con il negoziante; ☐

   c. disegno su un foglio i prodotti di cui ho bisogno e lo do al negoziante; ☐

   d. indico i prodotti che voglio ed evito di parlare; ☐

   e. preparo un piccolo discorso in italiano e lo ripeto alla perfezione quando arrivo al negozio; ☐

   f. chiedo aiuto al negoziante usando le parole che conosco in italiano, cercando altre parole nel dizionario, usando la mia lingua o l'inglese e i gesti; ☐

   g. chiedo aiuto al negoziante usando solo ed esclusivamente l'italiano, anche se è difficile. ☐

2. Secondo te quali sono le strategie di maggior successo in questa situazione e perché?
   Discutine con un compagno.

Mi metto alla prova!

Vuoi liberarti di alcuni vestiti che non usi più. Scrivi due annunci da inserire su www.eBay.it per venderli.
Descrivi accuratamente gli indumenti e rendi il tuo annuncio accattivante come una vera pubblicità.

Qualcosa in più

Chi usa la bicicletta e perché
Un must del tempo libero

Quasi definitivamente scomparsa, purtroppo, come mezzo di trasporto, soprattutto nelle grandi città e nel Sud Italia, la bicicletta è ora per gli italiani un oggetto di divertimento per il tempo libero o un attrezzo sportivo per il semplice benessere fisico. Diciamo che l'uso della bici come mezzo di trasporto non è assolutamente di moda. Resiste solo in qualche area del nordest e in cittadine di grande tradizione come Mantova o Parma. Ma se dal trasporto passiamo al passatempo e alla forma fisica le cose cambiano radicalmente. La bicicletta torna ad essere l'oggetto del desiderio, il giocattolo da tirar fuori la domenica mattina per uscire con la famiglia o per imitare i campioni del pedale. Il 49 per cento dei proprietari usa la bicicletta esclusivamente nel tempo libero. Di questi il 21 per cento solo nel week end, il 20 per cento solo durante le vacanze. L'utilizzo della bici nel tempo libero risulta nettamente più alto tra i giovani e nella popolazione con reddito, scolarità e posizione socioculturale più elevata.

(Adattato da *la Repubblica*)

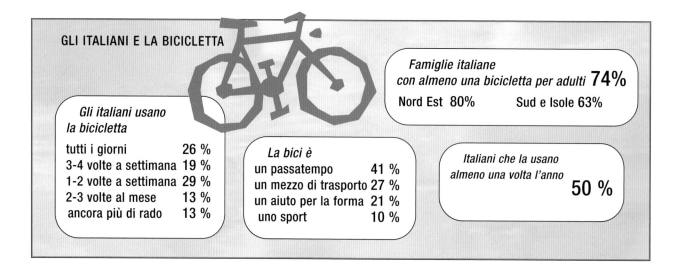

GLI ITALIANI E LA BICICLETTA

Gli italiani usano la bicicletta

tutti i giorni	26 %
3-4 volte a settimana	19 %
1-2 volte a settimana	29 %
2-3 volte al mese	13 %
ancora più di rado	13 %

La bici è

un passatempo	41 %
un mezzo di trasporto	27 %
un aiuto per la forma	21 %
uno sport	10 %

Famiglie italiane con almeno una bicicletta per adulti **74%**

Nord Est **80%** Sud e Isole **63%**

Italiani che la usano almeno una volta l'anno
50 %

Completa le frasi.

Gli italiani non usano la bicicletta come ...

La bicicletta è soprattutto un oggetto ...

A Parma o a Mantova la gente usa la bicicletta ...

Molte persone usano la bicicletta ...

Il 20% usa la bicicletta ...

Vanno in bicicletta soprattutto ...

... solo il fine settimana.

... da tanti anni.

... i giovani e le persone che stanno bene economicamente.

... mezzo di trasporto.

... solo quando è in vacanza.

... per il tempo libero.

Voi usate spesso la bicicletta? Come mezzo di trasporto o solo per passatempo? Con che frequenza? Parlatene in piccoli gruppi.

Lezione 4

4

14 Scusi, ...

B *legge questa pagina.* A *la pagina 64. A turno, si domandano informazioni sui posti che cercano.*

- ■ Scusi, c'è un/a ... qui vicino?
  Scusi, sa dov'è il/la/l'...?
- ▼ Sì, Lei va ..., gira ...

B: Sei davanti alla stazione e cerchi

1. una farmacia 3. l'ospedale
2. una banca 4. l'ufficio del turismo

SPAGHETTI AL POMODORO I PIÙ AMATI DAGLI ITALIANI

Se è vero che gli italiani sono sempre innamorati della pasta (6 su 10 la mangiano tutti i giorni) è altrettanto vero che per il formato «spaghetti» hanno una vera passione. Lo conferma un sondaggio realizzato per il World Pasta Day 2000. Dalla ricerca emerge, infatti, che gli spaghetti raccolgono il maggior numero di consensi, il 38,6%. Tra gli uomini soprattutto, che hanno fatto salire la percentuale al 43,2 (contro il 34,6% delle donne). Al secondo posto si piazzano le penne, che raccolgono più consensi tra le donne (23,7% contro 20,7%) e al terzo i rigatoni. Tra le ricette, il primo piatto preferito è un superclassico: gli spaghetti con pomodoro e basilico, con il 28,3% delle preferenze. Seguono lasagne (14,5%), tagliatelle al ragù (11,2%) e vermicelli alle vongole (10,6%).

(da *la Repubblica*)

Quali informazioni dà il testo? Unisci la prima e la seconda parte delle frasi.

Sei italiani su dieci ...   ... fra tutti i tipi di pasta preferiscono gli spaghetti.

Gli uomini ...   ... mangia volentieri i vermicelli alle vongole.

Il 23,7% delle donne ...   ... ama gli spaghetti con pomodoro e basilico.

Circa il 10% degli italiani ...   ... preferisce le penne agli spaghetti.

Un terzo degli italiani ...   ... mangiano la pasta ogni giorno.

Intervista tre/quattro compagni. Domanda

- se mangiano spesso la pasta,
- quale tipo di pasta preferiscono,
- come preferiscono mangiare la pasta.

Lui e io

Lui ha sempre caldo; io sempre freddo. D'estate, quando è veramente caldo, non fa che lamentarsi del gran caldo che ha. Si sdegna se vede che m'infilo, la sera, un golf.

Lui sa parlare bene alcune lingue; io non ne parlo bene nessuna. Lui riesce a parlare, in qualche suo modo, anche le lingue che non sa.

Lui ha un grande senso dell'orientamento; io nessuno. Nelle città straniere, dopo un giorno, lui si muove leggero come una farfalla. Io mi sperdo nella mia propria città; devo chiedere indicazioni per ritornare alla mia propria casa. Lui odia chiedere indicazioni; quando andiamo per città sconosciute, in automobile, non vuole che chiediamo indicazioni e mi ordina di guardare la pianta topografica. Io non so guardare le piante topografiche, m'imbroglio su quei cerchiolini rossi, e si arrabbia.

Lui ama il teatro, la pittura, e la musica: soprattutto la musica. Io non capisco niente di musica, m'importa molto poco della pittura, e m'annoio a teatro. Amo e capisco una cosa sola al mondo, ed è la poesia.

Lui ama i musei, e io ci vado con sforzo, con uno spiacevole senso di dovere e fatica. Lui ama le biblioteche, e io le odio.

Lui ama i viaggi, le città straniere e sconosciute, i ristoranti. Io resterei sempre a casa, non mi muoverei mai.

Lo seguo, tuttavia, in molti viaggi. Lo seguo nei musei, nelle chiese, all'opera. Lo seguo anche ai concerti, e mi addormento.

(da *Le piccole virtù* di Natalia Ginzburg)

Completa lo schema con le informazioni del testo come nell'esempio.

chi?	cosa fa?	cosa?	dove?
lui	si lamenta	—	—
		le lingue	
	non parla		
		chiedere indicazioni	
		le piante topografiche	
lui	ama		
lei	ama		
			al museo
			a teatro
	lo segue		

Sei più simile a lui o a lei? Parlane con un compagno.

Esercizi

➳ Consiglio

Scrivi le parole nuove su un quaderno, con una frase come esempio. In un'altra pagina scrivi la traduzione. Ogni tanto rileggi la lista delle parole nuove e cerca di ricordare il significato.

1 Come saluti?

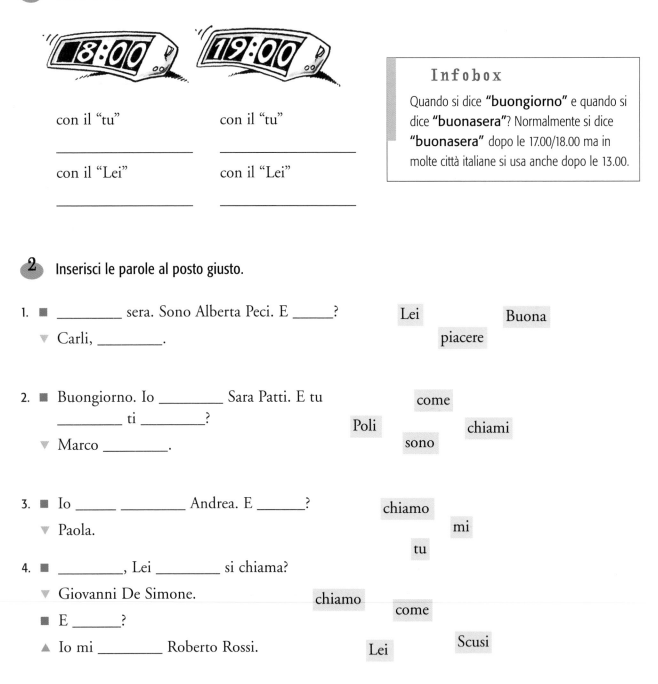

con il "tu"   con il "tu"

_____   _____

con il "Lei"   con il "Lei"

_____   _____

> **Infobox**
>
> Quando si dice **"buongiorno"** e quando si dice **"buonasera"**? Normalmente si dice **"buonasera"** dopo le 17.00/18.00 ma in molte città italiane si usa anche dopo le 13.00.

2 Inserisci le parole al posto giusto.

1. ■ _____ sera. Sono Alberta Peci. E _____?

    ▼ Carli, _____.

    Lei   Buona   piacere

2. ■ Buongiorno. Io _____ Sara Patti. E tu _____ ti _____?

    ▼ Marco _____.

    come   Poli   chiami   sono

3. ■ Io _____ _____ Andrea. E _____?

    ▼ Paola.

    chiamo   mi   tu

4. ■ _____, Lei _____ si chiama?

    ▼ Giovanni De Simone.

    ■ E _____?

    ▲ Io mi _____ Roberto Rossi.

    chiamo   come   Lei   Scusi

3 Si usa per studiare. Cos'è?

Scrivi le parole giuste nelle caselle ed avrai la soluzione.

4 Collega le domande con le risposte giuste.

1. Sei tedesca?   a. Sì, di Barcellona.

2. Di dove sei?   b. No, sono svizzero.

3. Come ti chiami?   c. No, sono austriaca.

4. Sei tedesco?   d. Di Berlino.

5. Sei spagnolo?   e. Augusto.

5 Qual è il nome delle nazioni?

Au – gna   Ger – zera   Ita – mania   Fran – gallo   Spa – lia

Porto – stria   Sviz – terra   Irlan – cia   Inghil – da

Austria   _____ _____ _____ _____

_____ _____ _____ _____

Esercizi

1

6 Questo dialogo è in disordine.
Metti le frasi nell'ordine giusto.

A

☐ Piacere, Fellini.

☐ Ah, portoghese. E di dove?

☐ Scusi, Lei è spagnola?

☐ Di Milano.

B

☐ *Piacere. Mi chiamo Maria Rodriguez.*

☐ *Di Oporto. E Lei di dov'è?*

☐ *No, sono portoghese.*

7 Completa le frasi.

1. Io _____ irlandese, di Dublino.

2. Lei _____ francese?

3. _____ Jack Daly. E Lei come _____?

4. Tu _____ svizzera?

5. Come _____?

6. Lei di dov' ____?

è

si chiama   ti chiami

sono   mi chiamo

è   sei

8 Cosa si dice in queste situazioni?

Quando si arriva: _____

_____

Quando si va via: _____

_____

Ciao!

A presto!

ArrivederLa!   A domani!

Arrivederci!   Buongiorno!   Buona sera!

Buonanotte!   Alla prossima volta!

CD 10

9 Che numeri senti? Ascolta la registrazione e segna i numeri giusti.

3 – 13   4 – 14   5 – 15   6 – 7   6 – 16

11 – 12   16 – 17   8 – 18   9 – 19   7 – 17

Esercizi

1

10 Il labirinto

Per uscire dal labirinto parti dal numero 20 e cerca nelle caselle vicine il numero più basso (19), poi 18 ecc. fino a 0. Se avrai fatto tutto bene, le lettere sopra i numeri formeranno una frase.

Partenza

C	F	G	I	O	R	U	G
venti	otto	sei	venti	dieci	tre	sedici	cinque
I	A	H	R	S	T	Z	F
diciannove	diciotto	nove	undici	nove	diciotto	quindici	sette
B	O	P	L	S	I	O	L
due	diciassette	dodici	diciannove	otto	sette	tre	due
D	A	A	M	P	M	V	T
sette	sedici	tredici	uno	diciassette	sei	quattro	uno
E	L	L	N	Q	A	Q	A
dodici	quindici	quattordici	zero	dodici	cinque	quattordici	zero

Arrivo

_ _ _ _ , _ _ _ _ _ _ _ _ _ _ _ _ _ _ _ !

11 Esercitiamo la pronuncia

CD 11

Ascolta e completa.

_____rmania   buon_____rno   ____o   mac____na   ____rnale   spa____tti

pre___   zuc___ero   ____tarra   la___   ___rda   ra___   pia____re

arriveder____   ____co   ____re   fun_____   ___ffè

✏→ Consiglio

Alla fine di ogni lezione scrivi su un quaderno tutto quello che sai dire in italiano, così alla fine del corso avrai il tuo personale "libro di italiano".

12 Ricapitoliamo

Presentati e scrivi come ti chiami, di dove sei, che nazionalità e che numero di telefono hai.

Per studiare scegli un posto tranquillo e piacevole. Non imparare più di 8 vocaboli alla volta, ma ripetili spesso.

1 Separa le lettere e metti la punteggiatura. Avrai 6 mini-dialoghi.

1. Comestainonc'èmaleetu   `Come stai? Non c'è male. E tu?`
2. Ciaocomevabenissimograzie   _____
3. ComestasignorabenegrazieeLei   _____
4. QuestoèPierounmioamicopiacere   _____
5. Francoparlalinglesesìmoltobene   _____
6. LepresentoilsignorFoglipiacereMonti   _____

2 Completa.

maschile	femminile
un mio amico	_____
_____	la signora Vinci
spagnolo	_____
_____	portoghese
molto lieto	_____
_____	questa

> **Infobox**
>
> **Piacere – molto lieto:** quando ci si presenta, si risponde con **"piacere"**, che è una forma neutra molto in uso anche tra i giovani, o con **"molto lieto"**, **"molto lieta"**, che sono espressioni usate in situazioni molto più formali.

3 Inserisci gli articoli.

1. Questo è Robert, _____ mio amico di Dublino.
2. Le presento _____ signor Dini.
3. Giuliana parla bene _____ spagnolo.
4. Thilo non parla _____ russo.
5. Questa è Bernadette, _____ mia amica francese.
6. Questa è _____ signora Ghezzi.
7. Io purtroppo non parlo bene _____ inglese.

un   il   la   l'   lo   una   il

⇾ Consiglio

Impara direttamente i nomi insieme agli articoli.

4 Combina le parole dei quattro gruppi e fai delle frasi.

Io
Maddalena
Noi
Pedro
Piero e Lucia

sono
abito
fa
è
lavoriamo

di
a
-
in

la segretaria.
Madrid.
una scuola.
Bologna.
medico.

5 Rispondi alle domande.

Carlo Bianchi · Torino · ingegnere   *Uta Reimers* · Berlino · segretaria
Jeanine Petit · Parigi · insegnante   *Pedro Rodriguez* · Siviglia · studente

1. Come si chiama il signor Bianchi? _____

2. La signora Reimers è traduttrice? _____

3. Uta è tedesca? _____

4. Jeanine studia? _____

5. Che lavoro fa il signor Bianchi? _____

6. Pedro lavora? _____

7. Chi lavora in una scuola? _____

8. Di dov'è Pedro? _____

Infobox

In italiano i nomi delle professioni hanno spesso forme uguali per il maschile e per il femminile, per es. **medico, sindaco, architetto**, ecc. Per alcuni lavori non c'è una denominazione specifica, in questo caso si usa descrivere la propria attività, per es. **lavoro in una banca, lavoro in una libreria**.

6 Scrivi le parole vicino agli articoli giusti.

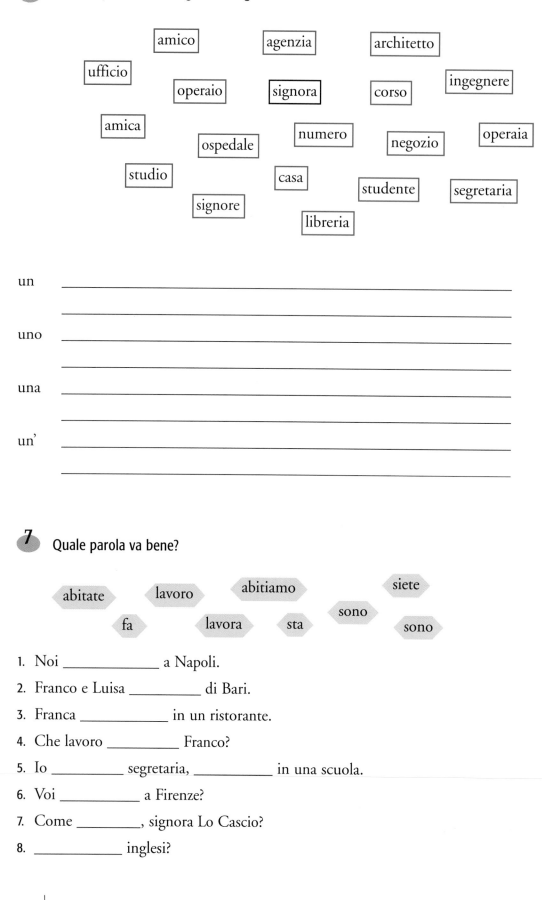

amico   agenzia   architetto
ufficio   operaio   signora   corso   ingegnere
amica   ospedale   numero   negozio   operaia
studio   casa   studente   segretaria
signore   libreria

un _____

_____

uno _____

_____

una _____

_____

un' _____

_____

7 Quale parola va bene?

abitate   lavoro   abitiamo   siete
fa   lavora   sta   sono   sono

1. Noi _____ a Napoli.

2. Franco e Luisa _____ di Bari.

3. Franca _____ in un ristorante.

4. Che lavoro _____ Franco?

5. Io _____ segretaria, _____ in una scuola.

6. Voi _____ a Firenze?

7. Come _____, signora Lo Cascio?

8. _____ inglesi?

8 Dove lavorano queste persone? Inserisci i nomi dei posti di lavoro nelle caselle giuste.

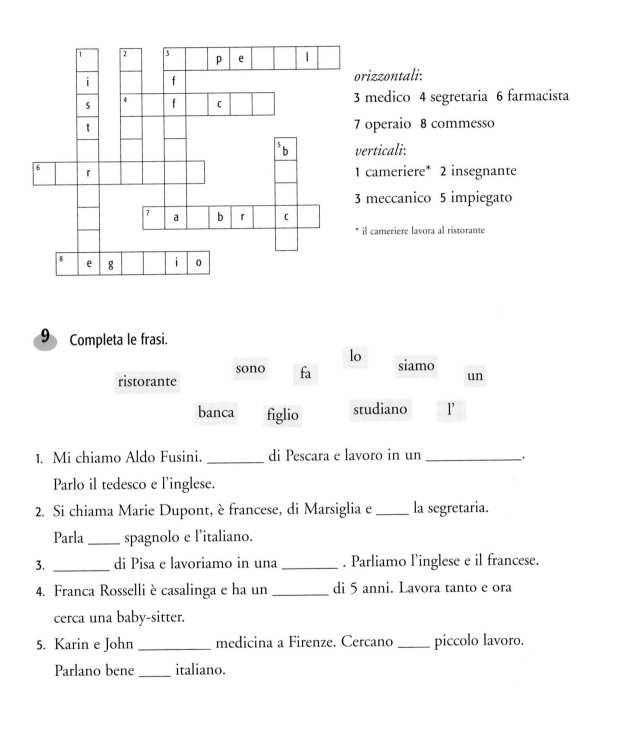

orizzontali:

3 medico 4 segretaria 6 farmacista

7 operaio 8 commesso

verticali:

1 cameriere* 2 insegnante

3 meccanico 5 impiegato

* il cameriere lavora al ristoratte

9 Completa le frasi.

ristorante   sono   fa   lo   siamo   un

banca   figlio   studiano   l'

1. Mi chiamo Aldo Fusini. _____ di Pescara e lavoro in un _____.
Parlo il tedesco e l'inglese.

2. Si chiama Marie Dupont, è francese, di Marsiglia e _____ la segretaria.
Parla _____ spagnolo e l'italiano.

3. _____ di Pisa e lavoriamo in una _____ . Parliamo l'inglese e il francese.

4. Franca Rosselli è casalinga e ha un _____ di 5 anni. Lavora tanto e ora
cerca una baby-sitter.

5. Karin e John _____ medicina a Firenze. Cercano _____ piccolo lavoro.
Parlano bene _____ italiano.

✎→ Consiglio

*Per associazioni si impara meglio. Pensa ai tuoi amici e conoscenti. Associa il loro
nome al nome italiano della loro professione (per es. Paul è architetto).*

10 Come si leggono i numeri di telefono? Ascolta la registrazione e segna il numero giusto.

CD 20

Ada Bianchi	☎	12 81 3 26	☐	12 81 32 6	☐
Lucia Mannucci	☎	81 40 89	☐	81 4 0 8 9	☐
Piero Marchi	☎	68 18 1 24	☐	6 8 1 8 1 24	☐
Stefano Rosi	☎	93 3 21 7	☐	9 3 3 2 1 7	☐

11 Scrivi i numeri in lettere.

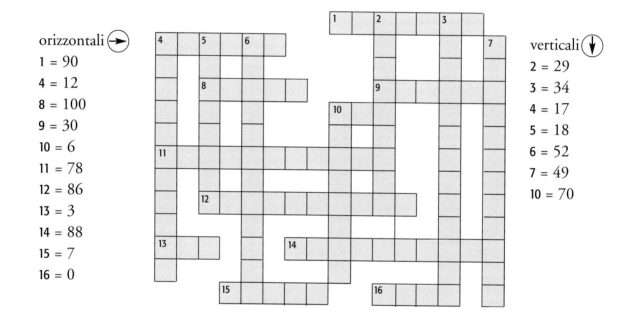

orizzontali →

1 = 90
4 = 12
8 = 100
9 = 30
10 = 6
11 = 78
12 = 86
13 = 3
14 = 88
15 = 7
16 = 0

verticali ↓

2 = 29
3 = 34
4 = 17
5 = 18
6 = 52
7 = 49
10 = 70

12 Inserisci gli interrogativi al posto giusto e poi collega le domande con le risposte.

1. _____ è Pedro?
2. _____ anni hai?
3. _____ sei?
4. _____ lingue parli?
5. _____ stai?
6. _____ lavorate?
7. _____ ti chiami?
8. _____ è il tuo indirizzo?

a. Via Dante, 14.
b. L'italiano e il greco.
c. In una fabbrica.
d. Giuseppe.
e. Di Palermo.
f. Un mio amico di Madrid.
g. Non c'è male, grazie.
h. 48.

Chi   Qual
Che   Come
Dove
Quanti
Come
Di dove

13 Che dite...

1. per esprimere dispiacere.
2. per ringraziare.
3. quando conoscete una persona nuova.
4. quando non avete capito bene qualcosa.
5. quando andate via.

Grazie   Arrivederci

Mi dispiace   Come, scusi?

Piacere

14 Esercitiamo la pronuncia

CD 21

Ascolta la registrazione e fai attenzione alla pronuncia. Poi ripeti le frasi.

Buona sera signora, come sta?

Il signor Santi ha sessantasei anni.

Sandro e Sofia sono a Salerno.

Scusi, Lei parla lo spagnolo?

Siamo qui a **s**cuola per **s**tudiare l'italiano.

Senti, tu **s**ei **s**vizzero o tede**s**co?

Io **s**ono di **S**ondrio e tu di dove **s**ei?

Stefano ha **s**edici anni.

15 Intonazione

CD 22

*Domanda o affermazione? Ascolta le frasi e inserisci un punto interrogativo (?)
o un punto (.). Poi ascolta una seconda volta e ripeti con la giusta intonazione.*

1. Franco parla bene il tedesco
2. Lara è di Merano
3. Questo è Guido
4. Maria non è portoghese
5. Hans è di Vienna
6. La signora Rossetti non sta bene
7. Lei è irlandese
8. Sei tedesco

16 Ricapitoliamo

*Cosa sai raccontare di te stesso in italiano alla fine di questa lezione?
Scrivi che lavoro fai, dove abiti, quanti anni hai...*

Esercizi

2

↠ Consiglio

Visualizzare le parole aiuta a ricordarle meglio. Perciò cerca di collegare le parole a delle immagini oppure ad un movimento, ad un rumore, ad un colore, ecc.

1 Cruciverba

Si lascia al cameriere prima di andare via. Cos'è?
Scrivi le parole giuste nelle caselle ed avrai la soluzione.

2 Quali di queste parole sono singolari, quali plurali
e quali possono essere singolari o plurali?

latte

marmellate   limone

cappuccino

aperitivo   birre

toast   tè   gelato   bicchieri   pizze

aranciate   bar

caffè   spremuta   crema   cornetti

singolare	plurale	singolare + plurale

3 Completa le frasi con il verbo *prendere* e con l'articolo *indeterminativo*.

1. Noi _____ ____ aranciata e ____ spremuta di pompelmo.
2. Franco _____ ____ bicchiere d'acqua minerale.
3. _____ ____ pizza anche voi?
4. Anch'io _____ ____ cappuccino e ____ cornetto.
5. E tu che cosa _____? ____ tè o ____ caffè?
6. Loro _____ ____ aperitivo e ____ birra.

4 Al ristorante

Le risposte del cliente sono in disordine. Rimettile nell'ordine giusto.

1. Buongiorno, vuole il menù?
2. Arrosto di vitello, pollo o sogliola.
3. E da bere?
4. Desidera ancora qualcosa?
5. Gasata?

a. Un quarto di vino bianco.
b. No, naturale.
c. No, grazie, vorrei solo un secondo. Cosa avete?
d. Sì, mezza minerale.
e. Va bene. Prendo la sogliola.

> **Infobox**
> Per chiamare il cameriere in Italia non si dice "**cameriere**", ma "**scusi**".

5 Ordina le forme verbali.

infinito	_____	_____
io	_____	_____
tu	_____	_____
lui, lei, Lei	_____	_____
noi	_____	_____
voi	_____	_____
loro	_____	_____

preferiamo
preferisco
volete
voglio
vogliono
preferisci
preferire
vuole
volere
preferiscono
vogliamo
preferite
vuoi
preferisce

6 Completa con *volere* e *preferire*.

1. Oggi (io-volere) _____ andare in trattoria.

2. Giulia e Federica (preferire) _____ mangiare solo un panino.

3. Con il pollo noi (preferire) _____ bere un vino rosso.

4. (volere) _____ il menù, signora?

5. (voi-volere) _____ il gelato o il caffè?

6. Signora, (preferire) _____ gli spaghetti o le tagliatelle?

7. Roberto, (volere) _____ solo un primo?

8. Io (preferire) _____ bere una minerale gasata.

Esercizi

3

7 Completa lo schema.

singolare	*plurale*
il gelato	___ _____
___ _____	le minestre
l' _____	gli affettati
lo strudel	___ _____
il bicchiere	___ bicchieri
___ caffè	i _____
___ bar	i _____
___ antipasto	___ antipasti
la fragola	___ _____
___ _____	___ pesci

I nomi in -**a** hanno il plurale in _____.

I nomi in -**o** ed -**e** hanno il plurale in _____.

I nomi che terminano in consonante o con sillaba finale accentata

hanno il plurale _____.

🖎→ C o n s i g l i o

Cerca sempre di arrivare da solo ad una regola grammaticale, perché così la ricordi meglio, ed imparala subito con un esempio.

8 Quale parola non appartiene alla serie?

1. coltello   aceto   forchetta   cucchiaio
2. tovagliolo   pepe   sale   olio
3. pane   pizza   toast   aperitivo
4. cappuccino   caffè   tè   gelato
5. purè   insalata   macedonia   spinaci

9 Completa le frasi.

avete – vuoi – mi porta – vorrei – preferisce

1. Prendi anche tu il risotto o _____ la pasta?
2. Scusi, _____ ancora un po' di pane?
3. Che antipasti _____ oggi?
4. Va bene un vino bianco o _____ un rosso?
5. Oggi _____ mangiare solo un primo.

10 Quale forma è quella giusta?

bene   buona   buone   buono   buoni

1. ■ Ancora qualcosa?
   ▼ No, grazie, va _____ così.
2. ■ La pizza è _____?
   ▼ Sì, grazie.
3. ■ Come sono gli spaghetti?
   ▼ Molto _____.

4. ■ _____ sera signora, come sta?
   ▼ _____, grazie, e Lei?
5. ■ Mangiamo qui?
   ▼ No, questo ristorante non è _____.
6. ■ Come primo abbiamo le lasagne, sono molto _____.
   ▼ Va _____, allora prendo le lasagne.

Esercizi

3

11 Un annuncio

Completa la pubblicità del ristorante con le parole della lista.

TRATTORIA PANE E VINO

Cucina _____

Specialità: _____ fatta in casa

Sala non _____

Giorno di chiusura: _____

_____ del giorno € 20

Domenica   Pasta   fumatori   Menù   tipica

12 Esercitiamo la pronuncia

CD 30

a. Ripeti le parole facendo attenzione alla differenza fra i suoni ʧ e ʤ.

ʧ	ʤ
mancia	mangiare
per piacere	gelato
amici	Gigi
ghiaccio	giorno
cappuccino	Luigi
cucina	cugina

CD 31

b. Ascolta le parole e segna con una X il suono che senti.

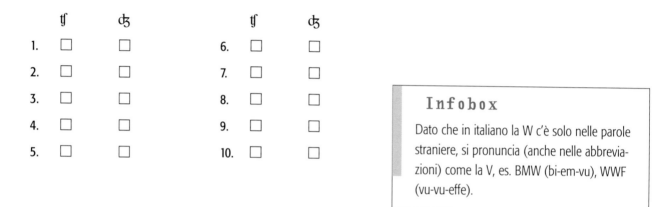

	ʧ	ʤ			ʧ	ʤ
1.	☐	☐		6.	☐	☐
2.	☐	☐		7.	☐	☐
3.	☐	☐		8.	☐	☐
4.	☐	☐		9.	☐	☐
5.	☐	☐		10.	☐	☐

> **Infobox**
>
> Dato che in italiano la W c'è solo nelle parole straniere, si pronuncia (anche nelle abbreviazioni) come la V, es. BMW (bi-em-vu), WWF (vu-vu-effe).

13 Ricapitoliamo

Sei in un locale italiano e vuoi bere e mangiare qualcosa. Scrivi come faresti l'ordinazione.
Se vuoi un pasto completo, cosa ordini?
Come chiami il cameriere per chiedere qualcos'altro o per avere il conto?

> **Infobox**
>
> Dopo pranzo si ordina di solito un **caffè** e non un **cappuccino**. I camerieri non sono abituati a fare conti separati, infatti normalmente paga una persona per tutti. La somma viene poi divisa in parti uguali per il numero delle persone. Questo modo di pagare si dice **fare alla romana**.
> Al ristorante il cameriere porta il conto piegato su un piattino. I soldi vengono messi in mezzo alla ricevuta fiscale. La mancia si lascia sul tavolo prima di andare via.

Studia con giudizio. È meglio imparare poche cose al giorno che tutto in una volta.
Decidi in quale momento della giornata vuoi studiare, cerca di rispettare il pro-
gramma e non rimandare continuamente.

1 Collega le parti di sinistra con quelle di destra.

1. Franco guarda   a. in palestra.
2. Nicola va   b. sempre a casa.
3. Alessia legge   c. sport.
4. Matteo dorme   d. un libro.
5. Federica sta   e. a lungo.
6. Paola fa   f. la TV.

2 Completa lo schema.

dormire	*giocare*	*leggere*	*andare*
_____	_____	leggo	_____
dormi	giochi	leggi	vai
_____	_____	_____	_____
_____	_____	leggiamo	_____
dormite	giocate	_____	andate
dormono	giocano	_____	_____

a. Confronta le coniugazioni di *dormire*, *giocare* e *leggere*. Sono uguali? Quali sono le differenze?

b. Guarda il verbo *giocare*: come è scritto?

c. Ripeti il verbo *leggere*: com'è la pronuncia?

3 Completate il dialogo con i verbi.

1. ■ Dario, (stare) _____ a casa il fine settimana?

   ▼ No, di solito (fare) _____ una passeggiata o (andare) _____ in bicicletta.

2. ■ Serena (dormire) _____ a lungo la domenica?

   ▼ Sì, ma poi (fare) _____ sport: (andare) _____ in bicicletta o (giocare) _____ a tennis.

3. ■ Mario e Francesco oggi (giocare) _____ a carte?

   ▼ Sì, e poi (andare) _____ al cinema.

4. ■ Tu (fare) _____ molto sport nel tempo libero?

   ▼ No, io (stare) _____ quasi sempre a casa: (leggere) _____, (navigare)

   _____ su Internet, (ascoltare) _____ musica o (cucinare) _____.

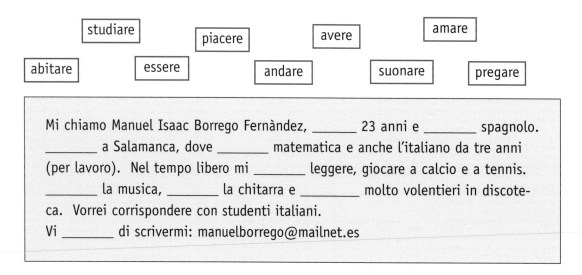

4 *Giocare* o *suonare?*

Completa le frasi con giocare *o* suonare.

1. Nel tempo libero Adam _____ uno strumento.

2. Tu _____ il basso?

3. (noi) _____ spesso a carte.

4. Nel tempo libero (io) _____ a calcio.

5. Qualche volta Silvio e Luciana _____ a tennis.

6. Voi _____ il pianoforte?

5 Completa le frasi con i verbi della lista.

1. La domenica mattina _____ volentieri una passeggiata.

2. _____ studiare la lingua italiana.

3. Nel tempo libero _____ in piscina.

4. _____ le canzoni di Lucio Dalla.

5. _____ il portoghese per lavoro.

6. A Giulia non _____ studiare.

faccio   studio   piace   mi piacciono   mi piace   vado

6 Una e-mail.

Completa il testo con i verbi della lista.

studiare   piacere   avere   amare   abitare   essere   andare   suonare   pregare

Mi chiamo Manuel Isaac Borrego Fernàndez, _____ 23 anni e _____ spagnolo. _____ a Salamanca, dove _____ matematica e anche l'italiano da tre anni (per lavoro). Nel tempo libero mi _____ leggere, giocare a calcio e a tennis. _____ la musica, _____ la chitarra e _____ molto volentieri in discoteca. Vorrei corrispondere con studenti italiani.
Vi _____ di scrivermi: manuelborrego@mailnet.es

Esercizi

4

7 Completa le frasi con il verbo *piacere*.

1. Mi _____ molto i balli sudamericani.
2. A Paolo non _____ la musica classica.
3. Ti _____ ballare?
4. A Lucia _____ dormire a lungo.

5. A Giorgio e a Beatrice _____ i libri di fantascienza.
6. Il corso d'italiano a noi _____ molto.
7. Ti _____ le canzoni italiane?

8 Trasforma le frasi alla forma negativa, come nell'esempio.
Fai attenzione alla posizione della negazione.

A me piacciono i fumetti.
A me non piacciono i fumetti.

Mi piace la birra.
Non mi piace la birra.

1. A Patrizia piace ballare. _____
2. A te piace Pavarotti? _____
3. Ti piace l'arte moderna? _____
4. A me piacciono i libri di fantascienza. _____
5. Mi piace cucinare. _____
6. A Lei piace l'opera? _____
7. Le piacciono i film italiani? _____
8. A noi piace fare sport. _____

9 Completa i dialoghi con le preposizioni.

1. ■ Marco è ___ Roma?

   ▼ No, abita qui ___ Roma, ma è ___ Milano.

2. ■ Qual è il tuo numero ___ telefono?

   ▼ 43 98 67.

3. ■ Che lavoro fanno?

   ▼ Lui insegna ___ una scuola ___ lingue e lei lavora ___ banca.

4. ■ Le piace andare _____ opera?

   ▼ No, preferisco andare ___ cinema o ___ ballare.

5. ■ Che hobby hai?

   ▼ Oh, molti! Mi piace giocare ___ tennis, lavorare ___ giardino e navigare ___ Internet.

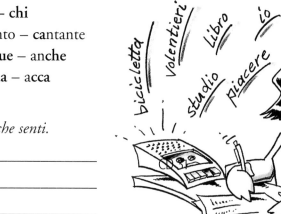

(⊚) **10** Esercitiamo la pronuncia
CD 38

*a. Ascolta e ripeti le parole, facendo attenzione a come si pronunciano
e a come si scrivono.*

Guido – fun**ghi**   **qui** – **chi**
lin**gua** – yo**ga**   **quan**to – **can**tante
guardare – impie**ga**to   **cin**que – an**che**
              acqua – **acca**

(⊚)
CD 39

b. Prova a scrivere le frasi che senti.

1. _____
2. _____
3. _____
4. _____
5. _____
6. _____

11 Ricapitoliamo

*Scrivi dei tuoi hobby, delle tue preferenze, delle cose che non ti piacciono:
cosa ti piace fare il fine settimana o nel tempo libero? C'è qualcosa che fai spesso o solo
qualche volta o che non fai mai? Se vuoi, puoi anche parlare dei tuoi amici o conoscenti.*

Infobox

Il sabato dei giovani.
La discoteca e il disco-pub sono luoghi sempre più frequentati in Italia dai giovani.
Qui si incontrano, ballano, ascoltano musica e bevono. Sono purtroppo famose le
"stragi del sabato sera" dove molti ragazzi muoiono in auto all'uscita della discoteca.

Bicicletta o no? L'uso della bicicletta in Italia è meno frequente che in molti altri
Paesi europei, a parte alcune zone di pianura del nord (Lombardia, Emilia, Veneto).
Qui ci sono molte *piste ciclabili* e anche le agenzie di viaggio offrono spesso escursioni guidate in bicicletta.

⇢ Consiglio

Se classifichi le parole in ordine tematico, è più facile ricordarle. Scrivi tutte le parole relative ad un argomento (es. cibi, bevande...).

1 Chi lo dice?

Unisci le parti della domanda. Scrivi una C vicino alle domande del cliente e una R vicino a quelle del receptionist, come nell'esempio.

Desidera una camera con ...　　　... può mandare un fax? ☐
Avete ancora ...　　　　　　　　... c'è il frigobar? ☐
Quanto ...　　　　　　　　　　　... o senza bagno? [R]
A che nome ...　　　　　　　　　... c'è il garage? ☐
Nella camera ...　　　　　　　　... scusi? ☐
Nell'albergo ...　　　　　　　　... una singola per questa sera? ☐
Per la conferma ...　　　　　　　... viene la camera? ☐

> **Infobox**
> Nei locali pubblici, il bagno si chiama anche "toilette" o "WC".

2 Cruciverba

È un tipo di albergo. Scrivi le parole giuste nelle caselle ed avrai la soluzione.

1. Camera per una persona.
2. Camera con un letto per due persone.
3. Posto per la macchina.
4. Sette giorni.
5. Il giorno dopo il sabato.
6. Camera con due letti.
7. Cappuccino, pane, burro e marmellata.

3 Quali parole formano una coppia?

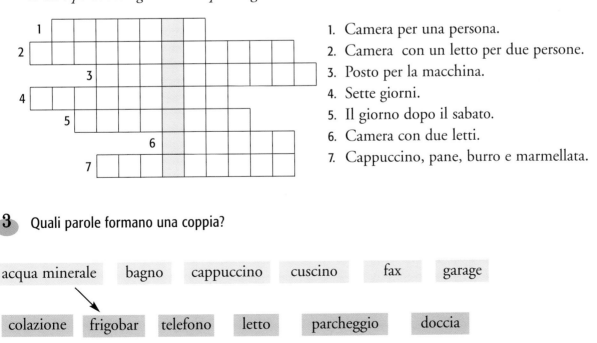

acqua minerale　　bagno　　cappuccino　　cuscino　　fax　　garage

colazione　　frigobar　　telefono　　letto　　parcheggio　　doccia

4 Completa con *c'è* o *ci sono*.

Scusi, c'è l'aria condizionata?

1. In tutte le camere _____ l'aria condizionata.

2. All'hotel Aurora non _____ camere libere.

3. Qui vicino _____ un ristorante tipico.

4. Nella camera 27 _____ tre letti.

5. Non abbiamo il garage, ma _____ un parcheggio.

6. Per giovedì _____ solo una matrimoniale libera.

5 Collega le parti di sinistra con quelle di destra e ricostruisci le frasi, come nell'esempio.

1. È possibile   è tranquilla?

2. La camera   il frigobar non funziona.

3. Quanto viene   avere ancora un asciugamano?

4. Avrei un problema,   c'è il televisore?

5. Nella camera   la camera doppia?

Infobox

In Italia i turisti hanno molte possibilità per dormire. Ci sono alberghi o hotel di diverse categorie, motel, pensioni e locande (piccoli alberghi dove è possibile gustare le specialità locali). In campagna si trovano molte aziende agrituristiche, per chi ama la vita a contatto con la natura. Alcune case di religiosi (per es. i monasteri) affittano camere anche ai turisti di passaggio.

---

6 Le lettere della coniugazione di *potere* e *venire* sono in disordine.
Rimettile nell'ordine giusto.

io   _____   _____

tu   _____   _____

lui, lei, Lei _____   _____

noi   _____   _____

voi   _____   _____

loro   _____   _____

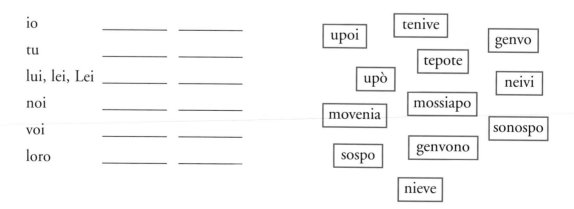

upoi   tenive   genvo   tepote   upò   neivi   movenia   mossiapo   sonospo   sospo   genvono   nieve

Esercizi

5

7 Completa le frasi con *venire* o *potere*

1. ■ Carlo, _____ venire?

   ▼ Sì, _____ subito.

2. ■ _____ anche Lucia e Paola con noi?

   ▼ No, loro non _____ venire.

3. ■ Anna non _____ a scuola oggi?

   ▼ No, non _____ venire, non sta bene.

4. ■ Signor Giannini, _____ al bar con noi?

   ▼ Sì, con piacere!

5. ■ Mi scusi, _____ portare ancora un po'
   di zucchero?

   ▼ Certo!

8 Un annuncio

Completa con le seguenti preposizioni.

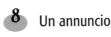

da   da   con   per   a   in   tra

> _____ Siena e Firenze, _____ posizione pano-
> ramica, offro _____ giugno _____ settembre
> appartamento _____ due camere _____ letto,
> soggiorno, cucina e bagno.
>
> _____ informazioni tel. 055 - 87 45 98

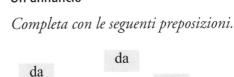

🖎→ C o n s i g l i o

Non è possibile tradurre letteralmente le preposizioni.
Per ricordarle cerca di impararle insieme ad una parola o in una frase.

9 Preposizione + articolo = preposizioni articolate.

a + il
da + il
in + il
in + la
in + l'
su + il

nel   dal   al   nella   sul   nell'

10 Completa adesso le frasi con le "preposizioni
articolate" dell'esercizio 9.

1. _____ bagno manca un asciugamano.

2. _____ camera 36 non c'è il televisore.

3. Quante camere ci sono _____
   appartamento?

4. _____ prezzo è compresa la colazione.

5. La casa è a pochi metri _____ mare.

6. Andiamo _____ ristorante?

7. Avete ancora una camera con vista _____
   mare?

11 Un fax

Completa il fax con le parole mancanti.

Confermo la _____ di una camera
_____ con bagno _____ 28 settembre _____
3 ottobre. _____ una camera con _____
e con televisore.
Distinti _____
Giorgio Santi

dal

singola

prenotazione

vorrei

al

balcone

saluti

Infobox

Quando si fa una prenotazione in genere è necessario confermare con un fax, una e-mail o con il numero della carta di credito. Gli alberghi che chiedono un anticipo sono pochi.

---

 12 Esercitiamo la pronuncia

CD 45

a. Ripeti le parole facendo attenzione a come si pronunciano e a come si scrivono.

bagno – anno   bottiglie – mille
Sardegna – gennaio   famiglia – tranquilla
montagna – Anna   tovaglia – Italia
lasagne – panna   voglio – olio

giugno – luglio

b. Chiudi il libro, ascolta un'altra volta l'esercizio e scrivi le parole su un foglio.

13 Ricapitoliamo

Scrivi a un albergo per prenotare una camera. Di' come la vuoi.

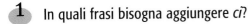

Consiglio

Cerca di studiare bene solo le parole che puoi usare attivamente.
Il resto basta solo capirlo.

1 In quali frasi bisogna aggiungere *ci*?

1. ■ Da quanto tempo vivi a Bologna?

   ▼ _____ abito da 3 mesi.

2. ■ Lavora sempre in banca?

   ▼ No, adesso _____ lavoro in proprio.

3. ■ Conosce un ristorante tipico qui?

   ▼ Beh, io _____ vado sempre al «Gambero rosso».

4. ■ Andate in vacanza in agosto?

   ▼ No, quest'anno _____ andiamo in settembre.

5. ■ Con chi vai in discoteca?

   ▼ Quasi sempre da solo, ma qualche volta _____ vado con gli amici.

6. ■ Cosa fa stasera Giovanni?

   ▼ _____ va al cinema con Marco.

7. ■ Conosce Milano?

   ▼ Sì, _____ vado abbastanza spesso.

8. ■ Lavori ancora a scuola?

   ▼ Sì, _____ lavoro già da dieci anni.

2 Completa lo schema.

un albergo caro	_____
_____	dei negozi eleganti
una chiesa famosa	_____
_____	delle chiese interessanti
una città moderna	_____
_____	degli edifici moderni
una pensione tranquilla	_____
_____	delle zone industriali
un ristorante elegante	_____
_____	dei mercati famosi

I nomi e gli aggettivi in **–o** hanno il plurale in _____.

I nomi e gli aggettivi in **–e** hanno il plurale in_____.

I nomi e gli aggettivi in **–a** hanno il plurale in _____.

Esercizi

6

3 Forma delle frasi.

Gli aggettivi in **–ca** hanno il plurale in _____.

Gli aggettivi in **–co** hanno il plurale in _____ , se l'accento cade sulla penultima sillaba,

e in _____ se l'accento cade sulla terz'ultima.

 4 Una lettera dall'Italia

Completa con le preposizioni.

Cara Valeria,

sono qui _____ Firenze _____ frequentare un corso
_____ italiano. La città è un po' rumorosa, ma ci
sono molte cose interessanti _____ vedere. Quando
non frequento le lezioni vado _____ vedere una
mostra, un museo o una chiesa. La sera vado _____
teatro o _____ cinema o faccio una passeggiata
_____ le strade _____ centro e guardo le vetrine
_____ negozi. _____ Firenze è possibile visitare
molti altri posti _____ dintorni. Domani vado
_____ San Gimignano e il fine settimana al mare.
_____ presto!

Catherine

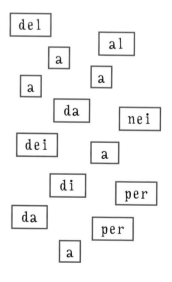

del
al
a
a
a
da
nei
dei
a
di
per
da
per
a

5 Completa le frasi con *molto*.

1. In Toscana ci sono _____ città interessanti.

2. Bologna è una città _____ vivace.

3. Qui ci sono _____ cose da vedere.

4. Quest'albergo è _____ tranquillo.

5. In città c'è una mostra _____ interessante.

6. Di solito mangio _____ insalata.

7. Oggi non ho _____ tempo per cucinare.

8. Viaggiare mi piace _____ .

> **Infobox**
>
> I prezzi dei mezzi pubblici in Italia sono molto bassi rispetto a quelli del resto d'Europa.
> Le autostrade sono a pagamento.

6 Per la strada

In questo dialogo le risposte sono in disordine. Ricostruiscilo.

1. Scusi, che autobus va al mercato?
2. E a quale fermata devo scendere?
3. La fermata è nella piazza del mercato?
4. E il mercato è lì vicino?
5. Sa se c'è anche una trattoria tipica?

a. Sì, è proprio lì vicino.
b. No, mi dispiace, è meglio se chiede in piazza.
c. Il 24.
d. Alla quarta.
e. No, è davanti al Duomo.

7 Completa le frasi con i seguenti verbi.

1. Mario, _____ che ore sono ?

2. Scusate, _____ dov'è la stazione?

3. Per andare in centro noi _____ prendere l'autobus.

4. Per il Duomo voi _____ scendere alla quinta fermata.

5. Gli studenti _____ dove _____ andare?

6. Se vai in Toscana _____ visitare anche San Gimignano.

7. Io non _____ che autobus _____ prendere.

8. Scusi, _____ dov'è il terminal delle autocorriere?

devo
devono
devi
dobbiamo
sa   dovete
sai
sapete   so
sanno

8 *Dov'è / dove sono* o *c'è / ci sono?*

1. Scusi, _____ un ristorante qui vicino?

2. Per cortesia, sa _____ l'albergo Aurora?

3. Senti,_____ una pizzeria qui vicino?

4. Conosci la pizzeria «Napoli»? Sai _____ ?

5. Per piacere, signora, _____ le Terme di Caracalla?

6. Scusi, _____ cabine telefoniche qui vicino?

7. Signora, per cortesia, _____ un parcheggio vicino alla stazione?

8. _____ i Musei Vaticani, per favore?

Quando chiediamo un'informazione su un posto che conosciamo, diciamo _____.

Quando chiediamo un'informazione su qualche cosa che non sappiamo se c'è,

diciamo _____.

9 *Sì* o *no?*

Guarda la cartina e di' se queste affermazioni sono vere o false.

	sì	no
1. L'ufficio postale è davanti alla chiesa.	☐	☐
2. L'edicola è accanto al supermercato.	☐	☐
3. Il distributore è di fronte alla stazione.	☐	☐
4. Il parcheggio è all'angolo.	☐	☐
5. Le cabine telefoniche sono fra la farmacia e il teatro.	☐	☐
6. La fermata dell'autobus è dietro l'ospedale.	☐	☐

10 Completa la tabella.

	+ il	+ lo	+ la	+ l'	+ i	+ gli	+ le
a	al						
da		dallo					dalle
di			della			degli	
in					nei		
su				sull'			

11 Completa le frasi con le preposizioni articolate.

1. (a) _____ prima traversa gira a sinistra e lì _____ angolo c'è la pizzeria.
2. (da) Desidero prenotare una camera singola _____ otto al quindici giugno.
3. (di) Avete un depliant _____ hotel con i prezzi _____ camere?
4. (su) Ho una bella camera con vista _____ piazza.
5. (in) L'albergo è _____ zona pedonale.
6. (a) Deve scendere _____ terza o _____ quarta fermata.
7. (di) La sera faccio una passeggiata per le strade _____ centro
   e guardo le vetrine _____ negozi.
8. (a) La farmacia è di fronte _____ edicola, accanto _____ banca.

l'edicola

12 In base al disegno rimetti in ordine le indicazioni sul percorso.

Per arrivare all'università vai dritto e poi prendi ...

L'università è lì di fronte
Vai ancora avanti e al secondo
la prima strada a sinistra. Attraversi
una piazza, continui ancora dritto e poi giri a
a una grande chiesa.
giri ancora a destra, in via Calepina.
incrocio
destra (all'angolo c'è un supermercato).

13 Esercitiamo la pronuncia

CD 51

a. Ripeti le parole facendo attenzione a come si pronunciano e a come si scrivono.

conosco – conosci
esco – esci
capisco – capisci
preferisco – preferisci

sciare – Ischia
esci – tedeschi
esce – tedesche
piscina – Peschici
scendere – bruschetta

> **Infobox**
>
> In Italia i negozi, ad eccezione dei supermercati e dei centri commerciali, sono chiusi tra le 12:30 / 13:00 e le 15:30 / 16:00.
> Anche le stazioni di servizio sono chiuse a pranzo, gli autogrill in autostrada no. I giornalai e i tabaccai sono aperti anche la domenica mattina.

b. Chiudi il libro, ascolta l'esercizio un'altra volta e scrivi le parole su un foglio.

CD 52

c. Cerca di leggere le seguenti frasi. Poi ascoltale di nuovo e controlla la tua pronuncia.

Francesca esce con due amiche tedesche.
Anche noi usciamo con amici tedeschi.
Conoscete Ischia?
Sul letto c'è il cuscino e nel bagno c'è l'asciugamano.
Marco va a sciare, Federica invece preferisce andare in piscina.
Prendiamo l'ascensore o scendiamo a piedi?

14 Ricapitoliamo

Descrivi la città dove abiti: com'è? Che c'è da vedere?
Sai descrivere il percorso da casa tua alla scuola?

Ogni sera scrivi in italiano cinque o sei cose che hai fatto durante la giornata.

1 Completa con l'infinito o con il passato prossimo.

infinito	*passato prossimo*	*infinito*	*passato prossimo*
andare	_____	_____	ho pranzato
_____	ho avuto	preferire	_____
dormire	_____	_____	sono salito / salita
_____	sono stato / stata	studiare	_____
fare	_____	_____	sono tornato / tornata
_____	ho guardato	uscire	_____
passare	_____	_____	ho visitato

2 Quante combinazioni sono possibili? Forma delle frasi.

1. Maria ⟶ hanno fatto ⟶ a lungo.
2. Noi — è stata ⟶ al cinema.
3. Enrico — ho dormito — a casa a mezzanotte.
4. Alessia — sono tornate — al museo.
5. Matteo e Paola — è andato — un giro in barca.
6. Io — abbiamo guardato — un momento libero.
7. Federica e Roberta — non ha avuto — la TV.

3 Una gita il fine settimana

Completa il dialogo tra Davide e Daniela.

■ Allora, Daniela, dove (essere) _____ _____ il fine settimana?

▼ Io? A Bolzano.

■ Ah, e cosa (fare) _____ _____ ?

▼ (visitare) _____ _____ un museo e (pranzare) _____ _____ in un locale tipico. E tu?

■ Anch'io (passare) _____ _____ due giornate splendide e intense.

▼ Ah, sì? Perché, dove (andare) _____ _____?

■ A Stromboli. Sai, (salire) _____ _____ sul vulcano e (dormire) _____ _____ all'aperto.

4 Cosa raccontano queste persone?

1. Stamattina _____.
2. Ieri sera _____.
3. Domenica _____.
4. Ieri notte _____.

1.

2.   3.   4.

5 Rimetti in ordine le frasi.

1. momento · un · non · ho · libero · avuto
2. ieri · passato · Guglielmo · giornata · intensa · ha · una · molto
3. hanno · in · ristorante · pranzato · un · tipico
4. ieri Andrea · cinema · stati · sono · non · al · Fiorenza · e
5. non · oggi · dormito · Giuliano · bene · ha
6. in · siamo · Portogallo · andati · luglio · a

6 Completa le frasi con una delle due forme del superlativo assoluto come nell'esempio.
Usa gli aggettivi della lista.

Questo caffè è *molto caldo.*
Questo caffè è *caldissimo.*

moderno

interessante   elegante

sportivo

famoso

intenso

1. Silvio ha fatto un viaggio _____.
2. Carlo ha comprato un appartamento _____.
3. A Firenze ci sono negozi _____.
4. Giulia gioca a tennis, fa escursioni, va in bicicletta: è una persona _____.
5. L'Aida è un'opera italiana _____.
6. Ho passato due giornate _____ e non ho avuto un momento libero.

7 Classifica i verbi secondo la forma del participio passato.

andare	mettere	fare	avere	venire	prendere

tornare	essere	dormire	leggere	rimanere

Participio passato

regolare	*irregolare*
andato	fatto

✎→ Consiglio

Quando un verbo ha un participio passato irregolare, imparalo subito insieme all'infinito, con un esempio: leggere – Ho letto il giornale.

8 Coniuga i verbi e completa i dialoghi.

1. ■ Franco, ieri (rimanere) _____ _____ a casa?

   ▼ No, (andare) _____ _____ al lago con Marta.

   ■ E che cosa (voi-fare) _____ _____ di bello?

   ▼ (prendere) _____ _____ il sole e (andare) _____ _____ in barca.

2. ■ E Lei signora, dove (passare) _____ _____ il fine settimana?

   ▼ (essere) _____ _____ a Bologna.

   ■ E cosa (vedere) _____ _____ di interessante?

   ▼ La pinacoteca.

3. ■ Valeria, cosa (fare) ____ _____ ieri?

   ▼ (rimanere) _____ _____ a casa e (lavorare) ___ _____ tutto il giorno. Prima (mettere) ____ _____ in ordine la casa, poi (cucinare) _____ _____ e il pomeriggio (stirare) ____ _____ .

4. ■ (tu-leggere) _____ _____ il giornale oggi?

   ▼ No, ma (ascoltare) _____ _____ il giornale radio.

9 Completa le frasi con le preposizioni *in* ed *a*.

1. ■ Avete mangiato _____ casa ieri?

   ▼ No, siamo stati _____ un ristorante cinese.

2. ■ Andiamo _____ fare la spesa?

   ▼ No, preferisco rimanere qui. Voglio mettere _____ ordine la casa.

3. ■ Dove andate _____ vacanza quest'anno?

   ▼ Prima _____ Parigi e poi forse anche _____ Danimarca.

4. ■ Sabato hai giocato _____ tennis?

   ▼ No, ho fatto un giro _____ bicicletta.

5. ■ Vieni _____ discoteca stasera?

   ▼ No, voglio andare _____ letto presto.

10 Trasforma le frasi come nell'esempio.

Di solito la mattina *metto* in ordine l'appartamento.
Ma stamattina *ho messo* in ordine solo la mia camera.

1. La mattina mangio sempre pane e marmellata.

   Ma oggi _____ un cornetto.

2. In gennaio Livia e Stefania vanno sempre a sciare.

   Ma quest'anno _____ alle Maldive.

3. Di solito il giovedì Luigi va a teatro.

   Ma giovedì scorso _____ al cinema.

4. A colazione prendiamo quasi sempre il caffè.

   Ma stamattina _____ il tè.

5. Di solito Marianna legge *la Repubblica*.*

   Ma l'altro ieri _____ il *Corriere della Sera*.*

6. Ogni domenica faccio un giro in bicicletta.

   Ma domenica scorsa _____ un giro in macchina.

7. Di solito Lucia dorme molto bene.

   Ma ieri notte _____ proprio male.

8. Di solito la baby-sitter viene il mercoledì.

   La settimana scorsa però non _____.

* La Repubblica , il Corriere della Sera
= giornali italiani

Esercizi

7

11 Completa con *tutto il* o *tutta la*.

1. Alberta è rimasta _____ giorno a casa.

2. Ho dormito _____ pomeriggio.

3. Abbiamo ballato _____ notte.

4. Stamattina sono stato _____ tempo in spiaggia.

5. Gianni ha passato _____ fine settimana a casa.

6. Franco ha lavorato _____ domenica.

12 Che tempo fa?

Completa il dialogo.

■ Qui a Roma oggi c'è un bel sole e _____ molto _____.

▼ Invece qui a Trieste il tempo è brutto.

■ _____?

▼ No, ma c'è molto _____ e fa _____.

caldo

fa

freddo

piove

vento

13 Metti le frasi alla forma negativa.

1. Ieri ho lavorato. _____

2. Ho visto tutto. _____

3. Stanotte ho dormito bene. _____

4. Piove ancora. _____

5. Ho avuto molto da fare. _____

6. Vado sempre a ballare. _____

7. Fa ancora caldo. _____

8. Oggi Franco è rimasto a casa. _____

non ... mai

non

non ... niente

non ... più

Esercizi

7

14 "Qualche" o "di + articolo"?

Cosa metti: Qualche *o* di + articolo*?*

1. Ieri c'è stato _____ temporale, ma ora il tempo è bello.

2. Abbiamo fatto _____ passeggiate in montagna.

3. In vacanza hai provato _____ piatto tipico?

4. Avete visitato _____ musei interessanti?

5. Oggi fa caldo, ma c'è ancora _____ nuvola.

6. Conosci _____ albergo non troppo caro a Venezia?

7. Abbiamo comprato _____ bottiglia di vino.

8. Ci sono ancora _____ trattorie aperte?

Adesso trasforma le frasi usando di + articolo *al posto di* qualche *e viceversa.*

 15 Esercitiamo la pronuncia

CD 56

Ascolta i dialoghi attentamente. Quali parole sono legate? Segnale come nell'esempio.
Poi ascolta di nuovo i dialoghi e ripeti.

Abbiamo pranzato *in͜ un* ristorante tipico.

1. Non ho avuto un momento libero.
2. Dopo cena sei stata al cinema?
3. Guido è andato al mare per una settimana.
4. Siete tornati al lago anche ieri?
5. Ho messo in ordine la casa.
6. Luca non è venuto a scuola.
7. Abbiamo dormito in un albergo in montagna.
8. Sei andato ad Assisi da solo o con amici?

16 Ricapitoliamo

Che cosa hai fatto ieri, lo scorso fine settimana, in vacanza?
E com'è il tempo adesso?

1 In ogni gruppo c'è una parola che non va bene con le altre. Qual è?

1. prosciutto · salame · carne · mortadella
2. ciliegie · uova · pesche · arance
3. carne · pesce · pesche · uova
4. aglio · cipolla · carote · uva
5. olio · burro · latte · formaggio
6. zucchero · patate · miele · biscotti

Infobox

Vuoi sapere se un vino è buono? Allora controlla se sulla bottiglia c'è la scritta **DOC** (denominazione di origine controllata). Per le cose da mangiare, invece, c'è l'abbreviazione **DOP** (denominazione di origine protetta).

2 Quante combinazioni sono possibili?

un pacco di
un litro di
un chilo di
un etto di
mezzo chilo di
sei

carne macinata
pasta
salame
uova
patate
latte
cipolle
riso
prosciutto
bistecche
uva
vino

3 Chi lo dice? Il commesso o il cliente?

	Commesso	*Cliente*
1. Che cosa desidera oggi?	☐	☐
2. Va bene così?	☐	☐
3. Ha del parmigiano?	☐	☐
4. Nient'altro, grazie.	☐	☐
5. Quanti ne vuole?	☐	☐
6. Si accomodi alla cassa.	☐	☐
7. Altro?	☐	☐
8. Ne vorrei mezzo chilo.	☐	☐

4 Completa con *di + articolo*.

1. Vorrei _____ aglio.
2. Ha _____ parmigiano stagionato?
3. Puoi comprare _____ latte e _____ uova?
4. Ha _____ uva buona?
5. Ho comprato _____ ciliegie e _____ pesche.
6. Vorrei _____ carne macinata.
7. Il pane è finito. Vanno bene anche _____ panini?

Esercizi

8

5 Completa i dialoghi con i pronomi *lo, la li, le.*

1. ■ Sei peperoni, per cortesia.
   ▼ _____ vuole rossi o gialli?

2. ■ Il parmigiano fresco o stagionato?
   ▼ _____ preferisco piuttosto stagionato.

3. ■ Ti piace il pesce?
   ▼ Sì, _____ mangio spesso.

4. ■ Ancora qualcos'altro?
   ▼ Della mortadella, ma _____ vorrei affettata sottile.

5. ■ Ha dell'uva buona?
   ▼ Certo. _____ preferisce bianca o nera?

6. ■ Ci sono i ravioli oggi?
   ▼ Sì, _____ vuole al pomodoro o al ragù?

7. ■ Compri tu le olive?
   ▼ Sì. _____ prendo verdi o nere?

8. ■ Non ci sono più uova.
   ▼ Non c'è problema*, _____ compro io.

* non c'è problema = ok, va bene

6 Trasforma le frasi come nell'esempio.

Costruzione normale della frase
Preferisce il prosciutto cotto o crudo?

Inversione del complemento oggetto
Il prosciutto lo preferisce cotto o crudo?

1. Compro quasi sempre la frutta al mercato. _____

2. Può affettare il salame molto sottile? _____

3. Come vuole le olive? Nere o verdi? _____

4. Non mangio quasi mai la pasta. _____

5. Vuole il latte fresco o a lunga conservazione? _____

6. Compri tu i peperoni? _____

➥ Consiglio

Impara gradatamente, ogni tanto fai una pausa e muoviti.
Ti sentirai più fresco e riposato.

7 *Lo, la, li, le* o *ne*? Completa.

1. Prendo le ciliegie, ma _____ vorrei buone.

2. Prendo le pesche, ma _____ vorrei solo un chilo.

3. Non amo molto i dolci: _____ mangio pochi.

4. I dolci non _____ mangio molto spesso.

5. Il vino _____ preferisce rosso o bianco?

6. Il vino a tavola c'è sempre. A pranzo _____ bevo uno o due bicchieri.

7. La pasta mi piace e _____ mangio molta.

8. La pasta mi piace e _____ mangio spesso.

8 In salumeria

Completa il dialogo con i pronomi diretti *e con* ne.

■ Cosa desidera oggi?

▼ Due etti di salame. Ma _____ vorrei sottile, per cortesia.

■ Certo, signora. Ancora qualcosa?

▼ Sì. Delle olive.

■ _____ preferisce verdi o nere?

▼ Verdi.

■ Quante _____ vuole?

▼ Circa due etti.

■ Benissimo. Qualcos'altro?

▼ Sì, del parmigiano e poi ... un pacco di zucchero.

■ Il parmigiano _____ vuole fresco o stagionato?

▼ Stagionato. _____ vorrei circa due etti e mezzo.

■ Altro?

▼ No, nient'altro, grazie.

9 Completa le frasi con il *si* impersonale e con i seguenti verbi.

1. Con il pesce non _____ il vino rosso.

2. Al supermercato _____ comprare anche tanti prodotti freschi.

3. In macelleria di solito non _____ i salumi.

4. Le lasagne _____ con la carne macinata.

5. Il formaggio _____ anche con le pere.

6. In Italia di solito al Nord _____ con il burro e al Sud con l'olio d'oliva.

7. Dopo pranzo non _____ il cappuccino.

mangiare

fare   cucinare

potere   vendere   prendere

bere

10 Una ricetta

Sai come si prepara il ragù? Completa la ricetta con i verbi all'infinito.

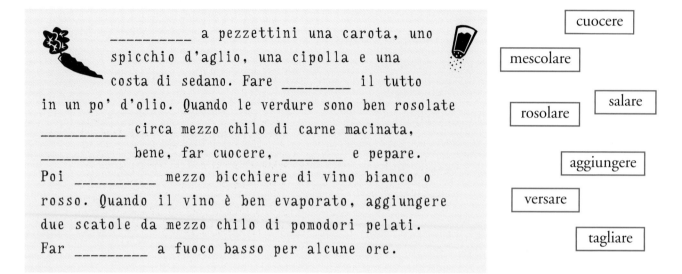

_____ a pezzettini una carota, uno spicchio d'aglio, una cipolla e una costa di sedano. Fare _____ il tutto in un po' d'olio. Quando le verdure sono ben rosolate _____ circa mezzo chilo di carne macinata, _____ bene, far cuocere, _____ e pepare. Poi _____ mezzo bicchiere di vino bianco o rosso. Quando il vino è ben evaporato, aggiungere due scatole da mezzo chilo di pomodori pelati. Far _____ a fuoco basso per alcune ore.

cuocere

mescolare

salare

rosolare

aggiungere

versare

tagliare

11 Cruciverba

Completa il cruciverba. Alla fine potrai leggere il nome di un oggetto che si usa quando andiamo al supermercato.

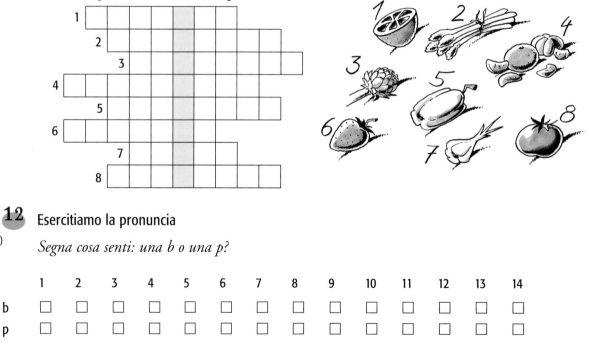

12 Esercitiamo la pronuncia

CD 60

Segna cosa senti: una b o una p?

	1	2	3	4	5	6	7	8	9	10	11	12	13	14
b	☐	☐	☐	☐	☐	☐	☐	☐	☐	☐	☐	☐	☐	☐
p	☐	☐	☐	☐	☐	☐	☐	☐	☐	☐	☐	☐	☐	☐

13 Ricapitoliamo

Cosa ti piace o non ti piace mangiare? Qual è il tuo piatto preferito? Con quali ingredienti lo prepari?

Esercizi

8

Alla fine della lezione ripensa a quello che hai imparato in classe. Se non hai capito bene qualcosa, controlla sul libro o scrivi sul quaderno la domanda per la prossima lezione.

1 La giornata di Gabriella

Completa con le preposizioni.

Gabriella è bibliotecaria.

1. Comincia a lavorare _____ 8.30.
2. Lavora _____ 8.30 _____ 18.30.
3. Fa una pausa _____ le 12.30 e le 15.00.
4. Il sabato lavora fino _____ 13.30.

BIBLIOTECA CIVICA
ORARIO NEI GIORNI FERIALI
8,30   –   18,30
SABATO 8,30 – 13,30

2 Che giorno, che mese, che stagione?

Qual è ...

1. ... il giorno dopo il mercoledì? _____
2. ... il mese fra giugno e agosto? _____
3. ... il giorno prima del lunedì? _____
4. ... il mese fra marzo e maggio? _____
5. ... la stagione dopo l'inverno? _____
6. ... la stagione prima dell'autunno? _____

3 La giornata di Giovanni

Completa il testo con i verbi.

Giovanni racconta: _____ panettiere. La mattina
_____ presto perché _____ a lavorare
alle quattro. Di solito _____ fino all'una.
Dopo il lavoro _____ a casa e _____ un po'.
Il pomeriggio _____ libero e _____ tempo per la
famiglia. La sera _____ a letto presto.

alzarsi   andare

avere   essere   lavorare

cominciare   riposarsi   essere

tornare

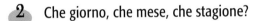

4 Completa lo schema con gli aggettivi o con gli avverbi.

raro	raramente
tranquillo	_____
_____	veramente
tipico	_____
_____	semplicemente
elegante	_____
_____	regolarmente
particolare	_____
_____	naturalmente
industriale	_____

5 Aggettivo o avverbio? Completa con le desinenze giuste.

1. La camera è tranquill_____?
2. Ho dormito tranquill_____.
3. Lavoro in una zona industrial_____.
4. Questa mozzarella è prodotta industrial_____.
5. È un lavoro particolar_____ duro.
6. Faccio un lavoro un po' particolar_____.
7. Questi sono tutti prodotti natural_____.
8. Dopo il lavoro natural_____ sono stanco.

6 Completa lo schema con le forme verbali mancanti.

	lavarsi	*vestirsi*
io	mi lavo	_____
tu	_____	ti vesti
lui, lei, Lei	si lava	_____
noi	_____	ci vestiamo
voi	vi lavate	_____
loro	_____	si vestono

7 Completa le frasi con i pronomi e con le desinenze verbali.

1. La mattina noi ____ alz_____ alle sei.
2. Dopo il lavoro Luisa ____ ripos_____ un po'.
3. I bambini ____ svegli_____ alle sette, poi ____ alz_____ e ___vest_____.
4. Voi ____ ripos_____ il pomeriggio?
5. Roberto, a che ora ____ alz_____ di solito?
6. Quando fa molto caldo, io ____ lav_____ spesso con l'acqua fredda.

8 Luca racconta la sua giornata.

Scrivi un testo alla prima persona singolare. Se vuoi, puoi usare anche prima, poi, di solito, a volte, sempre, spesso *ecc.*

7.00	svegliarsi
7.10	alzarsi, lavarsi e vestirsi
7.30	fare colazione
8.00	uscire di casa e andare in banca, dove lavorare
8.30	cominciare a lavorare
13.00 – 14.00	fare una pausa per il pranzo
17.00	finire di lavorare e tornare a casa
17.30	riposarsi un po'
20.00	cenare, guardare la televisione o leggere un po'
23.00	andare a letto

La mattina io ...

Adesso riscrivi il testo alla terza persona singolare.

La mattina Luca ...

9 Conosci gli italiani?

Completa il testo con le parole della lista.

Secondo una statistica gli italiani non sono campioni di creatività
e fantasia. Di solito escono di _____ verso le sette e
mezza e vanno al lavoro in _____. Il 46% fa
_____ al bar. Agli italiani non piace _____
lavoro, preferiscono avere un _____ fisso fino alla
_____. La sera la passano di solito a casa e cenano
davanti alla _____. Per divertirsi escono solo di
_____ e incontrano sempre gli stessi _____.
Un italiano su tre va al cinema, il 73% va a _____
sempre nello stesso ristorante. E oggi è anche routine
_____ con la playstation o _____ su
Internet.

colazione
amici
posto
navigare
casa
macchina
giocare
mangiare
pensione
cambiare
TV
sabato

10 Cosa dici…

1. … ad una persona che compie gli anni? _____

2. … ad una persona che parte per le vacanze? _____

3. … a Natale? _____

4. … a Capodanno? _____

5. … a Pasqua? _____

Infobox

Le feste.

La festa religiosa più importante è il Natale, che si festeggia il 25 dicembre. Il 24 dicembre, la vigilia di Natale, è un giorno lavorativo; molti cattolici, comunque, vanno alla messa di mezzanotte. L'altra grande festa religiosa è la Pasqua, che si festeggia ogni anno in una data diversa, comunque sempre in una domenica tra marzo e aprile. In molte città italiane si festeggia anche il santo protettore (il patrono) della città. Per es. S. Antonio a Padova, S. Gennaro a Napoli. Tra i giorni festivi c'è il 15 agosto (Ferragosto), che celebra l'assunzione di Maria, il 1° novembre (la festa di tutti i santi), l'8 dicembre (l'Immacolata Concezione) e il 26 dicembre (S. Stefano). Le feste non religiose più importanti sono il 25 aprile (il giorno della liberazione), il 1° maggio (la festa dei lavoratori) e il 1° gennaio.

CD 63 **11** Esercitiamo la pronuncia

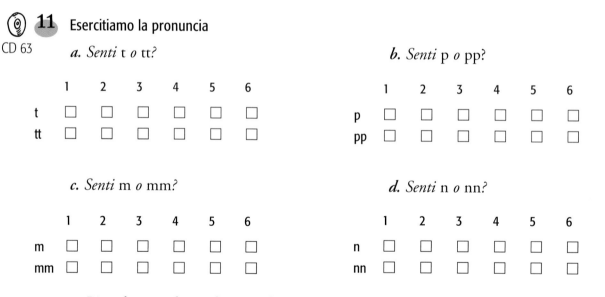

a. Senti t *o* tt?

	1	2	3	4	5	6
t	☐	☐	☐	☐	☐	☐
tt	☐	☐	☐	☐	☐	☐

b. Senti p *o* pp?

	1	2	3	4	5	6
p	☐	☐	☐	☐	☐	☐
pp	☐	☐	☐	☐	☐	☐

c. Senti m *o* mm?

	1	2	3	4	5	6
m	☐	☐	☐	☐	☐	☐
mm	☐	☐	☐	☐	☐	☐

d. Senti n *o* nn?

	1	2	3	4	5	6
n	☐	☐	☐	☐	☐	☐
nn	☐	☐	☐	☐	☐	☐

e. Riascolta tutte le parole e scrivile.

12 Ricapitoliamo

Com'è la tua giornata? E il fine settimana? Descrivi la tua giornata e le tue abitudini.

↬ **Consiglio**

Anche nella vita di tutti i giorni puoi esercitare l'italiano. Se per esempio leggi una rivista di moda, puoi cercare di ricordare come si dicono i nomi dei vestiti in italiano. Oppure puoi cercare di ricordare i nomi dei colori e degli oggetti che vedi intorno a te.

1 Completa i nomi dei colori con le desinenze giuste.

1. Martina oggi indossa dei pantaloni ner__, una camicetta celest__ e una giacca bianc__.
2. Sergio per andare in ufficio mette un vestito grig__ o marron__.
3. Giuseppe oggi ha messo i jeans con una camicia verd__ e una giacca ner__.
4. Eva porta spesso una gonna bl__ e una camicetta ros__.
5. Franco indossa volentieri i pantaloni grig___ con un pullover ross___.
6. A Giuliana piacciono le gonne giall__, azzurr__, verd__ o ross__.

2 Collega le domande con le risposte.

1. Che taglia porta?
2. Desidera?
3. Questo modello come Le sembra?
4. Quanto costa questa borsa?
5. Se la camicia non va bene, la posso cambiare?
6. Il giallo non è un colore troppo vivace per me?

a. Certo. Però deve conservare lo scontrino.
b. Ma no, Le sta benissimo!
c. Cerco degli stivali di pelle.
d. La 42.
e. 147 €.
f. Mah, forse è un po' troppo classico.

3 Completa con i pronomi.

1. Preferisco i colori vivaci, il nero non _____ piace.
2. Marina non indossa le gonne. Dice che non _____ stanno bene.
3. Signora, _____ piacciono questi pantaloni?
4. Giovanni preferisce i pantaloni sportivi, _____ piacciono soprattutto i jeans.
5. Giorgio, _____ piace questa giacca?
6. Questi stivali _____ sembrano troppo sportivi; non li compro.
7. Roberto e Giulio non mettono mai i jeans. _____ piace essere eleganti.
8. Sabrina, come _____ sembra questo cappotto? _____ piace?

4 *Quello, quella, quelli o quelle?*

1. Mi piace il vestito giallo, ma non _____ verde.
2. Indosso sempre abiti sportivi, ma mai _____ eleganti.
3. Preferisci le scarpe basse o _____ con il tacco alto?
4. Perché non prova questa gonna nera invece di _____ blu?
5. Questi stivali sono meno cari di _____.
6. Porta più volentieri le camicie a righe o _____ a quadri?

5 Completa con *quel, quello, quella, quell', quei, quegli, quelle.*

1. Mi piace _____ pullover.
2. _____ pantaloni sono troppo cari.
3. Ti piace _____ giacca?
4. Quanto costano _____ scarpe?
5. Che ne dici di _____ stivali?
6. Vorrei provare _____ impermeabile.
7. Le piacciono _____ mocassini?
8. _____ scialle non mi piace proprio.

6 Qual è il contrario?

Questo vestito è *troppo elegante*, ne vorrei uno *più sportivo.*

1. Questa gonna è troppo corta, preferisco le gonne _____.
2. Questo pullover è troppo giovanile, ne vorrei uno _____.
3. Queste scarpe sono troppo sportive, a me piacciono _____.
4. Questi jeans sono troppo larghi, a me piacciono _____.
5. Questa taglia è troppo grande. Vorrei provare una taglia _____.
6. Queste scarpe hanno il tacco troppo alto, preferisco quelle con il tacco _____.

↝ Consiglio

Impara sempre i contrari insieme (per es. lungo – corto). Si ricordano meglio.

7 Come si può dire invece di...?

1. Franca porta un vestito molto corto.   *cortissimo*
2. Mi piacciono i jeans molto aderenti.   _____
3. Piero ha un pullover molto largo.   _____
4. I giovani indossano vestiti molto colorati.   _____
5. Quella gonna è molto elegante.   _____
6. Queste scarpe sono molto care.   _____
7. Odio i cappotti molto pesanti.   _____
8. Quella giacca è molto stretta.   _____

8 Completa le frasi con gli aggettivi della lista e con *di + articolo*.

1. I pantaloni sono più _____ _____ gonne.
2. Il Tevere è meno _____ _____ Po.
3. Il supermercato è meno _____ _____ negozio di prodotti biologici.
4. Le scarpe con il tacco alto sono meno _____ _____ mocassini.
5. La birra è meno _____ _____ vino.
6. Il Colosseo è più _____ _____ Arena di Verona.
7. Le arance sono meno _____ _____ ciliegie.
8. L'inverno è più _____ _____ autunno.

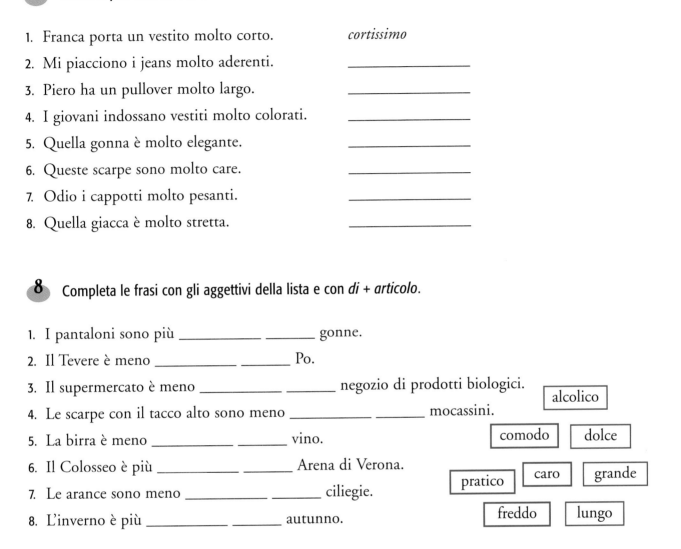

alcolico

comodo   dolce

pratico   caro   grande

freddo   lungo

9 Sottolinea i diminutivi.

accendino · anellino · appartamentino · argentino · bambino · bicicletta · brillantino · cappuccino · cartolina · cornetto · cotoletta · cucina · cuscino · giardino · gruppetto · lavoretto · magazzino · mattina · mocassino · negozietto · officina · paesino · porcino · scontrino · spaghetti · vetrina · villino

10 Cosa comprano queste persone?

Completa le frasi con le parole della lista.

accendino

mocassini

francobolli

vocabolari

valigia

yogurt

prosciutto

1. Quattro cartoline, due _____ e un _____ .
2. Questi _____ sono un po' grandi. Posso provare il 38?
3. Scusi, dove sono i _____ e i libri d'arte?
4. Scusi, a quale cassa posso pagare questa _____ ?
5. Un etto di _____ e tre confezioni di _____ .

11 Esercitiamo la pronuncia

CD 68

Senti c, cc, g o gg?

	1	2	3	4	5	6	7	8	9	10	11	12	13	14	15
c	☐	☐	☐	☐	☐	☐	☐	☐	☐	☐	☐	☐	☐	☐	☐
cc	☐	☐	☐	☐	☐	☐	☐	☐	☐	☐	☐	☐	☐	☐	☐
g	☐	☐	☐	☐	☐	☐	☐	☐	☐	☐	☐	☐	☐	☐	☐
gg	☐	☐	☐	☐	☐	☐	☐	☐	☐	☐	☐	☐	☐	☐	☐

12 Ricapitoliamo

Che cosa indossi in questo momento? Che tipo di abbigliamento preferisci? Che colori?
Cosa compreresti in Italia? Cosa diresti in un negozio di abbigliamento in Italia?

Infobox

L'orario di apertura e chiusura dei negozi cambia da regione a regione ed
a volte anche da città a città della stessa regione, anche in base alla
stagione (specialmente nelle zone turistiche). Durante la settimana tutti i
negozi hanno una o mezza giornata di chiusura.
Gli sconti si possono chiedere solo in certi negozi. Non si chiedono mai
ad esempio nei grandi magazzini o nei negozi delle grandi "catene"
(Benetton, Upim, Feltrinelli, ecc.). Al mercato di solito lo sconto non si
chiede per i prodotti alimentari, mentre è abbastanza frequente chiederlo
quando si comprano scarpe, vestiti o prodotti per la casa.

Esercizi

10

GRAMMATICA

Indice

G

G

Questo sommario di grammatica offre una visione d'insieme di tutte le nozioni grammaticali trattate nel manuale **Espresso 1**. Non si tratta, comunque, di un compendio completo.

Esso va infatti inteso come libro di consultazione per chiarimenti. Si consideri anche che alla fine di ogni lezione è presente una pagina di riepilogo grammaticale.

Lista dei termini grammaticali

Accusativo _____

Aggettivo _____

Articolo _____

     determinativo _____

     indeterminativo _____

     partitivo _____

Ausiliare _____

Avverbio _____

Comparativo _____

Complemento _____

Coniugazione _____

Congiunzione _____

Consonante _____

Dativo _____

Femminile _____

Indicativo _____

Infinito _____

Interrogativo _____

Maschile _____

Negazione _____

Nome _____

Particella _____

Participio _____

Passato prossimo _____

Plurale _____

Preposizione _____

Presente _____

Pronome _____

Pronome/aggettivo dimostrativo _____

Pronome/aggettivo indefinito _____

Pronome/aggettivo interrogativo _____

Pronome personale _____

Pronome personale complemento _____

     diretto _____

     indiretto _____

Riflessivo _____

Singolare _____

Soggetto _____

Sostantivo _____

Superlativo _____

     assoluto _____

Verbo _____

Verbo modale _____

Vocale _____

G

Suoni e scrittura

L'alfabeto

L'alfabeto italiano ha 21 lettere, + 5 lettere presenti in parole straniere
o di origine straniera.

a (a)	**h** (acca)	**q** (cu)	*Lettere straniere:*
b (bi)	**i** (i)	**r** (erre)	
c (ci)	**l** (elle)	**s** (esse)	**j** (i lunga)
d (di)	**m** (emme)	**t** (ti)	**k** (cappa)
e (e)	**n** (enne)	**u** (u)	**w** (doppia vu)
f (effe)	**o** (o)	**v** (vi/vu)	**x** (ics)
g (gi)	**p** (pi)	**z** (zeta)	**y** (ipsilon/i greca)

Lez. 3

La pronuncia

In italiano le parole si leggono fondamentalmente così come si scrivono.
Ci sono comunque delle particolarità:

Lettera singola/composta	*Pronuncia*	*Esempio*
c (+ a, o, u) ch (+ e, i)	[k]	**carota, colore, cuoco** **anche, chilo**
c (+ e, i) ci (+ a, o, u)	[tʃ]	**cellulare, città** **ciao, cioccolata, ciuffo**
g (+ a, o ,u) gh (+ e, i)	[g]	**Garda, gonna, guanto** **lunghe, ghiaccio**
g (+ e, i) gi (+ a, o, u)	[dʒ]	**gelato, Gigi** **giacca, giornale, giusto**
gl	[λ]	**gli, biglietto, famiglia**
gn	[ɲ]	**disegnare, signora**
h	non si pronuncia	**hotel, ho, hanno**
qu	[ku]	**quasi, quattro, questo**
r	[r] vibrante	**riso, rosso, risposta**
sc (+ a, o, u)	[sk]	**scarpa, sconto, scuola**

sch (+ e, i)		**sch**ema, **sch**iavo
sc (+ e, i)	[ʃ]	**sc**elta, **sc**i
sci (+ a, e, o, u)		**sci**arpa, **sci**enza, la**sci**o, **sci**upare
v	[v]	**v**ento, **v**erde, **v**erdura

Osservate: **qu** *si pronuncia k + u (e non k + w).*

Nei dittonghi (due vocali insieme) ogni vocale mantiene per lo più il proprio suono, cioè le vocali si pronunciano separatamente, come ad esempio nelle parole *Europa* (e – u), *vieni* (i – e), *pausa* (a – u).
Le consonanti doppie devono essere pronunciate in modo distinto e la vocale che precede è breve: *vasetto, notte, valle, ufficio, troppo.*

L'accento

strada	(accento sulla penultima sillaba)
medico	(accento sulla terz'ultima sillaba)
telefonano	(accento sulla quart'ultima sillaba)
città	(accento sull'ultima sillaba)

Nella maggior parte delle parole italiane l'accento cade sulla penultima sillaba; ci sono però anche parole con accento sulla terz'ultima, quart'ultima e ultima sillaba. Solo nel caso di parole accentate sull'ultima sillaba si mette un accento grafico.
In alcuni casi si mette un accento grafico su parole monosillabiche identiche ma di significato diverso:

sì affermativo   **si** impersonale

L'italiano ha due accenti: *accento grave* come nella parola *caffè*
e *accento acuto* come nella parola *perché*.

Proposizioni enunciative e interrogative

La costruzione della frase in italiano è uguale sia nelle proposizioni enunciative che interrogative. L'unica differenza consiste nella melodia della frase (verso l'alto nella proposizione interrogativa).

Claudia è di Vienna.

Claudia è di Vienna?

Il nome

Il genere

I nomi possono essere maschili o femminili. La maggior parte dei nomi in *-o* è maschile, la maggior parte di quelli in *-a* è femminile. I nomi in *-e* possono essere sia maschili che femminili.

Esistono anche nomi femminili in *–o: la mano, la radio, la moto, la foto, l'auto.*
Viceversa, si trovano a volte nomi maschili in *-a: il cinema, il problema.*
I nomi che finiscono con una consonante di solito sono maschili: *il bar, lo sport.*

maschile	femminile
il lib**ro**	la cas**a**
il signor**e**	la pension**e**

Lez. 2

I nomi di persona

Per i nomi che si riferiscono agli esseri viventi di solito il genere grammaticale corrisponde al genere naturale.
Nella maggioranza dei casi la vocale finale maschile è *-o* e quella femminile è *-a*.

In alcuni casi esiste invece una sola forma per maschile e femminile.

maschile	femminile
il commess**o**	la commess**a**
il bambin**o**	la bambin**a**

maschile	femminile
il colleg**a**	la colleg**a**
il turist**a**	la turist**a**
il frances**e**	la frances**e**
il client**e**	la client**e**

Alcuni nomi di persona che terminano al maschile in *-e* formano il femminile in *-essa;* i sostantivi in *-tore* formano il femminile in *-trice.*

maschile	femminile
lo student**e**	la student**essa**
il tradut**tore**	la tradut**trice**

Lez. 2

I suffissi

I suffissi modificano il significato dei nomi. I suffissi in *-ino* e in *-etto* si usano per formare i diminutivi o i vezzeggiativi.

> anell**ino** = piccolo anello
> mamm**ina** = mamma buona e dolce
> lib**retto** = piccolo libro
> cas**etta** = casa piccola e carina

Alcuni nomi con suffissi hanno un significato proprio, per esempio *il telefonino* (telefono cellulare).

Lez. 10

Il plurale

Formazione del plurale

I nomi maschili in *-o* e in *-e* formano il plurale in *-i*.
I nomi femminili in *-a* hanno il plurale in *-e;* i nomi femminili in *-e* formano il plurale in *-i*.

	singolare	plurale
maschile	il negozi**o**	i negoz**i**
	il pont**e**	i pont**i**
femminile	la cas**a**	le cas**e**
	la nott**e**	le nott**i**

I nomi maschili in *-a* hanno il plurale in *-i*.

singolare	plurale
il problem**a**	i problem**i**
il turist**a**	i turist**i**

La forma femminile *la turista* diventa al plurale: *le turiste*.

Particolarità nella formazione del plurale

Desinenze invariabili

Tutti i nomi (sia maschili che femminili) che terminano con una sillaba accentata o con una consonante sono invariabili. Anche le abbreviazioni *la foto* (*fotografia*), *la bici* (*bicicletta*), *il cinema* (*cinematografo*) rimangono invariate.

	singolare	plurale
maschile	il caffè	i caffè
	il film	i film
femminile	la città	le città
	la bici	le bici

Lez. 3

I nomi in -ca/-ga, -co/-go, -cia/-gia e in -io

I nomi in -ca/-ga
hanno il plurale in -che/-ghe.

l'amica - le amiche

I nomi in -co/-go formano il plurale in
-chi/-ghi, se hanno l'accento sulla penultima sillaba.

il tedesco – i tedeschi
l'albergo – gli alberghi

Eccezione: l'amico – gli amici

I nomi in -co/-go, con accento sulla terz'ultima
sillaba hanno il plurale in -ci/-gi.

il medico – i medici
l'asparago – gli asparagi

I nomi in -cia/-gia hanno il plurale in -ce/-ge, se
la vocale finale è preceduta da una consonante.
Se la vocale finale è preceduta da un'altra vocale
o è una -i- accentata, i nomi hanno il plurale in
-cie/-gie.

la mancia – le mance   la spiaggia – le spiagge
la camicia – le camicie   la valigia – le valigie
la farmacia – le farmacie

I nomi in -io di solito hanno il plurale in -i.

il negozio – i negozi
il viaggio – i viaggi

Se la -i- della desinenza -io ha l'accento, la -i-
rimane anche nel plurale.

lo zio – gli zii

Plurali irregolari

singolare	plurale
l'uovo	le uova
il paio	le paia
la mano	le mani

Esistono alcuni nomi che hanno solo il singolare e altri che hanno solo il plurale.

Qui c'è troppa gente. (la gente, *sing.*)
Ho comprato dei pantaloni di lana. (i pantaloni, *pl.*)
Lez. 6·10 Ho visitato i dintorni di Firenze. (i dintorni, *pl.*)

L'articolo

La forma dell'articolo determinativo e indeterminativo cambia a seconda del genere e della lettera iniziale del nome che segue.

L'articolo indeterminativo

	maschile	femminile
davanti a consonante	**un** gelato	**una** camera
davanti a vocale	**un** amico	**un'**amica
davanti a h	**un** hotel	
davanti a s + consonante	**uno** straniero	
davanti a z	**uno** zucchino	
davanti a ps	**uno** psicologo	
davanti a y	**uno** yogurt	

Lez. 2

L'articolo determinativo

	maschile		femminile	
	singolare	plurale	singolare	plurale
davanti a consonante	**il** gelato	**i** gelati	**la** camera	**le** camere
davanti a vocale	**l'**amico	**gli** amici	**l'**amica	**le** amiche
davanti a h	**l'**hotel	**gli** hotel		
davanti a s + consonante	**lo** straniero	**gli** stranieri		
davanti a z	**lo** zucchino	**gli** zucchini		
davanti a ps	**lo** psicologo	**gli** psicologi		
davanti a y	**lo** yogurt	**gli** yogurt		

Lez. 1·2
3

Uso dell'articolo determinativo

L'articolo determinativo si usa sempre

◆ davanti a *signore/signora* e davanti ai titoli che precedono un nome:

Le presento **il signor** Carli.
Le presento **la signora** Attolini.
Le presento **il dottor** Carli.

Lez. 2

(però quando ci si rivolge direttamente a qualcuno, l'articolo determinativo non si usa:

Buongiorno, **signor** Carli.
Buongiorno, **signora** Attolini.
Buongiorno, **dottor** Carli.)

♦ davanti ai nomi di lingua:

Lez. 2   Studio **il tedesco**, **l'inglese** e **lo svedese**.

(ma posso anche non usarlo: Studio **tedesco**, **inglese** e **svedese**.)

♦ davanti ai nomi di nazioni:

La Germania è un paese industriale.

L'articolo non si usa invece quando il nome di una nazione è in combinazione con la pre-posizione **in**:

Lez. 2   Vado spesso in Italia.

♦ per l'orario:

Lez. 4   Sono **le dieci**.

La presenza dell'articolo determinativo davanti ad un giorno della settimana indica "ogni giorno", invece l'assenza dell'articolo indica il giorno "dopo" o "prima".

Il sabato vado a teatro. (ogni sabato)
Sabato vado a teatro. (sabato prossimo)
Sabato sono andato a teatro. (sabato scorso)

Lez. 5   I nomi dei mesi hanno l'articolo determinativo solo in combinazione con un aggettivo.

Agosto è un mese molto caldo.
L'agosto scorso sono stata in Italia.

L'articolo partitivo

L'articolo partitivo (la preposizione **di** + l'articolo determinativo), indica una parte, una quantità indeterminata e significa "un po'", "qualche" o "alcuni, alcune".

Vorrei **del** formaggio. (un po' di formaggio)
Ho comprato **del** pesce. (un po' di pesce)
Lez. 6·8   Ho mangiato **delle** arance. (alcune arance)
Ho incontrato **degli** amici. (alcuni amici)

L'aggettivo

Le forme

Gli aggettivi concordano nel genere e nel numero con i nomi cui si riferiscono.
La maggior parte degli aggettivi maschili ha il singolare in -*o*, gli aggettivi femminili
hanno per lo più il singolare in -*a*. Gli aggettivi in -*e* hanno invece la stessa forma sia
per il maschile che per il femminile.

maschile	femminile
un museo famos**o**	una chiesa famos**a**
un museo interessant**e**	una chiesa interessant**e**

Lez. 6

Accordo dell'aggettivo

Gli aggettivi in -*o* hanno al plurale la desinenza
-*i*, gli aggettivi in -*a* la desinenza -*e*. Gli aggettivi in -*e* hanno il plurale in -*i* sia al maschile che
al femminile.

	singolare	plurale
maschile	il museo famos**o**	i musei famos**i**
	il museo interessant**e**	i musei interessant**i**
femminile	la chiesa famos**a**	le chiese famos**e**
	la zon**a** interessant**e**	le zon**e** interessant**i**

Gli aggettivi in -*co*/-*ca*

Come i nomi, gli aggettivi in -*ca* hanno il plurale in -*che*. Gli aggettivi in -*co* hanno il
plurale in -*chi*, se hanno l'accento sulla penultima sillaba e in -*ci* se hanno l'accento sulla
terz'ultima.

singolare	plurale
chiesa anti**ca**	chiese anti**che**
trattoria tipi**ca**	trattorie tipi**che**
palazzo antị**co**	palazzi antị**chi**
ristorante tịpi**co**	ristoranti tịpi**ci**

I colori

I colori in *-o* e in *-e* si comportano come normali aggettivi.

il cappotto ner**o**	i cappotti neri
la gonna bianc**a**	le gonne bianche
il cappello verd**e**	i cappelli verdi

Alcuni colori sono invece invariabili, per esempio *blu, rosa, viola e beige.*

Porto volentieri	un impermeabile una gonna dei jeans le camicie	**blu**.

Lez. 10

Posizione dell'aggettivo

In italiano di solito l'aggettivo segue il nome. È così anche per i colori, per gli aggettivi di nazionalità, per gli aggettivi qualificativi e quando ci sono più aggettivi uno dopo l'altro.

una città **tranquilla**
una giacca **verde**
un ragazzo **francese**
un tavolo **rotondo**
una stanza **piccola** e **rumorosa**

Alcuni aggettivi con forme brevi e molto usate di solito vanno prima del nome:

È una **bella** macchina.

Ma se questi aggettivi hanno un'indicazione più precisa, allora seguono il nome:

È una macchina **molto bella**.

Alcuni aggettivi possono stare prima o dopo il nome. In questo caso hanno due significati diversi:

un **caro** bambino (un bambino buono)
una macchina **cara** (una macchina costosa)

Gradi dell'aggettivo

Il comparativo

Il comparativo di maggioranza si forma con *più* + aggettivo, il comparativo di minoranza con *meno* + aggettivo. Il secondo termine di paragone è introdotto dalla preposizione *di* + articolo se dopo c'è un nome o un pronome.

Questi pantaloni sono **eleganti**.
Questi pantaloni sono **più eleganti di** quelli.
I jeans sono **meno eleganti dei** pantaloni.

Lez. 10

Il superlativo (assoluto)

Il superlativo assoluto esprime il grado massimo di una qualità. Si forma con *molto* (invariabile!) + l'aggettivo o aggiungendo *-issimo/-issima/-issimi/-issime* alla radice dell'aggettivo. In questo caso gli aggettivi in *-e* prendono la desinenza *-o* per il maschile e *-a* per il femminile (*elegante – elegantissimo/elegantissima*).

maschile		femminile	
molto tranquillo	tranquill**issimo**	**molto** tranquilla	tranquill**issima**
molto interessante	interessant**issimo**	**molto** interessante	interessant**issima**

Con gli aggettivi in *-co* e *-go*, si inserisce una *-h-*, in questo modo la pronuncia rimane la stessa.

Ha poc**hissimi** vestiti.
Il viaggio come è stato? – Lung**hissimo**.

Il superlativo assoluto si può esprimere anche ripetendo due volte l'aggettivo.

Vorrei un etto di mortadella tagliata **sottile sottile**.

Lez. 7·8

L'avverbio

L'avverbio ha la funzione di definire più precisamente verbi, aggettivi o anche altri avverbi.

Luigi parla sempre **lentamente**.
Questo film è **veramente** interessante.

Lez. 9 Francesca parla **molto bene** il tedesco.

Formazione dell'avverbio

Gli avverbi sono sempre invariabili. Si formano con il femminile dell'aggettivo + –*mente*.
Per gli aggettivi in -*e* il suffisso -*mente* si aggiunge direttamente.

aggettivo		avverbio
libero	→ libera	→ libera**mente**
tranquillo	→ tranquilla	→ tranquilla**mente**
elegante		→ elegante**mente**

Gli aggettivi in **-le** e **-re** perdono la -*e* finale davanti a -*mente*.

normale	→ normal**mente**
regolare	→ regolar**mente**

Esistono anche avverbi con forme particolari:
di solito, certo, molto, ancora, adesso, presto, tardi

Avverbi irregolari sono *bene* (aggettivo: *buono*) e *male* (aggettivo: *cattivo*).

Funzione dell'avverbio

L'aggettivo descrive l'oggetto,
l'avverbio definisce meglio il verbo.

Oggi ho avuto una **giornata normale**.
    (aggettivo)
Il **gelato** è **buono**.
    (aggettivo)
Normalmente vado al lavoro in macchina.
    (avverbio)

Lez. 7·9 Qui si **mangia bene**. (avverbio)

Gradi (comparativo/superlativo) dell'avverbio

Come per l'aggettivo, anche per l'avverbio è possibile avere un grado di comparazione.

Lui parla **piano**.
Parla **più piano di** me.
Parla **pianissimo**.

I pronomi personali

I pronomi soggetto

singolare	io
	tu
	lui
	lei
	Lei
plurale	noi
	voi
	loro
	Loro

Di solito i pronomi personali soggetto *io, tu...* non si usano perché il verbo contiene già l'indicazione della persona. I pronomi soggetto si usano solo quando si vuole mettere in risalto la persona o se manca il verbo.

Di dove sei? – Sono di Genova.
Io sono di Genova. E **tu** ?

Lez. 1·2

La forma di cortesia si fa con la terza persona singolare femminile *lei*. Quando si parla a due o più persone si usa la terza persona purale *loro* (ma spesso si usa anche la seconda persona plurale *voi*).

(Lei) è francese?
Anche Loro sono di qui?

I pronomi indiretti (complemento di termine)

In italiano i pronomi indiretti hanno forme atone e toniche.

	forme atone	forme toniche
singolare	mi	a me
	ti	a te
	gli	a lui
	le	a lei
	Le	a Lei
plurale	ci	a noi
	vi	a voi
	gli	a loro

Il pronome tonico si usa

◆ quando si vuole dare particolare importanza al pronome:
A me non ha detto niente, **a lui** (invece) sì.

◆ dopo una preposizione:
Lez. 4·10   Vieni da **me**?

I pronomi indiretti atoni vanno sempre prima del verbo, i pronomi indiretti tonici possono andare prima del verbo o anche prima del soggetto.

Questo vestito **mi** sembra troppo caro.
Questo vestito **a me** sembra troppo caro.
A me questo vestito sembra troppo caro.

La negazione *non* va prima del pronome atono ma segue quello tonico.

Questo colore **non le** piace.
A lei non piace questo colore.

I pronomi diretti (complemento oggetto)

I pronomi diretti sostituiscono l'oggetto.

	forme atone	forme toniche
singolare	mi	me
	ti	te
	lo	lui
	la	lei
	La	Lei
plurale	ci	noi
	vi	voi
	li	loro
	le	loro

Lez. 8   I pronomi *lo, la, li, le* concordano nel genere e nel numero con il nome sostituito:

Quando vedi **Mario**? **Lo** incontro domani.
Quando vedi **Maria**? **La** incontro domani.
Quando vedi **i colleghi**? **Li** incontro domani.
Quando vedi **le colleghe**? **Le** incontro domani.

I pronomi diretti atoni vanno prima del verbo. Davanti a vocale o ad *h* i pronomi singolari *lo* e *la* prendono l'apostrofo ('). Invece i pronomi plurali *li* e *le* non prendono mai l'apostrofo.

L'accompagno/**Lo** accompagno domani.
L'accompagno/**La** accompagno domani.
Li/**Le** accompagno domani.

Lo può anche sostituire una frase:

– Dov'è Mario? – Non **lo** so. (= non so **dov'è Mario**)

I pronomi diretti tonici seguono il verbo e si usano

◆ per far risaltare qualcosa o qualcuno:
– Chi vuole?   – Vuole **te**.

◆ in combinazione con una preposizione:
Questo è un regalo per **lei**.

Dislocazione del complemento oggetto

Quando si vuole dare risalto al nome (complemento oggetto), si usa metterlo all'inizio della frase, seguito dal pronome diretto.

Il parmigiano lo vuole stagionato o fresco?
Le olive le vuole verdi o nere?

Lez. 8

Le particelle pronominali *ne* e *ci*

Ne sostituisce la quantità di una cosa nominata in precedenza.

Vorrei **del pane**.
Quanto **ne** vuole?

Lez. 6·8

                ne ho due.
Hai **dei pomodori**?   – Sì, **ne** ho alcuni.
                ne ho molti.

Ci sostituisce un luogo nominato in precedenza.

– Vai spesso **a Padova**?
– Sì, **ci** vado spesso. (*ci* = a Padova)

I dimostrativi

I dimostrativi possono essere aggettivi o pronomi.
Gli aggettivi dimostrativi accompagnano i nomi, i pronomi dimostrativi sostituiscono i nomi. Gli aggettivi e i pronomi dimostrativi concordano in genere e numero con la parola cui si riferiscono.

Questa macchina è molto bella. (aggettivo dimostrativo)
Questa invece no. (pronome dimostrativo)

questo

Questo/questa/questi/queste si riferiscono a persone o cose che sono vicino a chi parla.

Questo come *aggettivo dimostrativo*

Questo vestito è stretto.
Questa casa è cara.

Questo come *pronome dimostrativo*

Questo è Giovanni.
Questa è Maria.
Questi sono Giovanni e Marco.
Queste sono Maria e Anna.

Lez. 2
10

quello

Quello si riferisce a persone o cose che sono lontane da chi parla.

Quello come *aggettivo dimostrativo* termina con le forme dell'articolo determinativo.

	maschile		femminile	
	singolare	plurale	singolare	plurale
davanti a consonante	**quel** gelato	**quei** gelati	**quella** camera	**quelle** camere
davanti a vocale	**quell'**amico	**quegli** amici	**quell'**amica	**quelle** amiche
davanti a s + consonante	**quello** straniero	**quegli** stranieri		
davanti a z	**quello** zucchino	**quegli** zucchini		

Quello come pronome dimostrativo cambia solo nella vocale finale.

Questo maglione è troppo caro. Preferisco **quello**.
Questa camicia è troppo cara. Preferisco **quella**.
Questi maglioni sono troppo cari. Preferisco **quelli**.
Queste scarpe sono troppo care. Preferisco **quelle**.

Lez. 10

Gli indefiniti

poco, molto/tanto, troppo

Poco, molto/tanto, troppo possono essere usati come aggettivi, pronomi e avverbi. Come aggettivi e pronomi concordano in genere e numero con il nome cui si riferiscono, come avverbi sono invariabili.

Aggettivi indefiniti

Ho **poco** tempo.
Hanno **tante** cose da fare.

Pronomi indefiniti

Hai comprato delle uova? – Sì, ma **poche**.
Quanti amici hai? – **Molti**.

Avverbi indefiniti

Ho mangiato **troppo**.
Abbiamo studiato **poco**.
Il corso è stato **poco** interessante.
Ho una casa **molto** bella.

Lez. 4·6
8·10

qualche

Qualche è invariabile e il nome che segue è sempre singolare.

Ho avuto **qualche problema**.
Oggi c'è **qualche nuvola**.

Lez. 7

tutto

Tutto è seguito dall'articolo determinativo e dal nome cui si riferisce.

Ho studiato **tutto il** giorno.
Ho studiato **tutta la** mattina.
Ho studiato **tutti i** giorni.
Lez. 7 Ho studiato **tutte le** mattine.

ogni

Ogni è invariabile e il nome che segue è sempre singolare.

Mangio **ogni giorno**.
Lez. 10 Guardo la TV **ogni sera**.

Pronomi, aggettivi e avverbi interrogativi

	Esempio
chi?	Chi sei?
(che) cosa?	(Che) cosa studi?
che? + nome	Che giorno è oggi?
come?	Come sta?
dove?	Dove abiti?
	Dove vai?
di dove?	Di dove sei?
qual? + *essere*	Qual è il tuo indirizzo?
quali? + *essere*	Quali sono i tuoi hobby?
quale? + nome	Quale corso frequenta?
quali? + nome	Quali corsi frequenta?
quanto?	Quanto costa il libro?
quanto? + nome	Quanto tempo hai?
quanta? + nome	Quanta carne hai comprato?
quanti? + nome	Quanti amici hai?
quante? + nome	Quante amiche hai?
quando?	Quando venite?
perché ?	Perché non telefoni?

Lez. 1·2
3·4
5·6

L'aggettivo *quale* ha la forma *quale* al singolare e la forma *quali* al plurale.

Quale autobus devo prendere?
A **quale** fermata devo scendere?
Quali piatti italiani/ricette italiane conosce?

Osservate: davanti al verbo *essere*, *quale* perde la *e* diventando *qual* (senza apostrofo).

Qual è il tuo numero di telefono?
Quali sono i tuoi hobbies?

Lez. 1·6

Il verbo

I verbi regolari si dividono in tre coniugazioni: verbi con l'infinito in *-are* (1ª coniugazione), verbi con l'infinito in *-ere* (2ª coniugazione), verbi con l'infinito in *-ire* (3ª coniugazione).

Lez. 2·3
4·7

1. Coniugazione	2. Coniugazione	3. Coniugazione
abit**are**	prend**ere**	dorm**ire**

Il presente

Verbi regolari

	abit**are**	prend**ere**	dorm**ire**	prefer**ire**
(io)	abit**o**	prend**o**	dorm**o**	prefer**isco**
(tu)	abit**i**	prend**i**	dorm**i**	prefer**isci**
(lui, lei, Lei)	abit**a**	prend**e**	dorm**e**	prefer**isce**
(noi)	abit**iamo**	prend**iamo**	dorm**iamo**	prefer**iamo**
(voi)	abit**ate**	prend**ete**	dorm**ite**	prefer**ite**
(loro)	abit**ano**	prend**ono**	dorm**ono**	prefer**iscono**

Le desinenze *-o, -i, -iamo* sono uguali per le tre coniugazioni.
La terza persona singolare si usa anche per la forma di cortesia: Dove abit**a**?
Nella prima e nella seconda persona plurale e nell'infinito l'accento cade sulla penultima sillaba:
abita̱re, abitia̱mo, abita̱te.
Negli altri casi l'accento segue la prima persona singolare:
a̱bito, a̱biti, a̱bita, a̱bitano.

Verbi irregolari al presente

In italiano ci sono alcuni verbi che al presente hanno forme irregolari. Ecco una lista dei verbi irregolari di questo manuale:

andare	(Lezione 4)
avere	(Lezione 1)
bere	(Lezione 3)
dire	(Lezione 10)
dovere	(Lezione 6)
essere	(Lezione 1)
fare	(Lezione 2)
potere	(Lezione 5)
sapere	(Lezione 6)
stare	(Lezione 2)
uscire	(Lezione 4)
venire	(Lezione 5)
volere	(Lezione 3)

Per la coniugazione di questi verbi vedi la Lista dei verbi irregolari a pag. 195.

G

Verbi in -care/ -gare, -ciare/ -giare, -gere e -scere

	gio**care**	pa**gare**	comin**ciare**	man**giare**	leg**gere**	cono**scere**
(io)	gioco	pago	comincio	mangio	leggo	conosco
(tu)	giochi	paghi	cominci	mangi	leggi	conosci
(lui, lei, Lei)	gioca	paga	comincia	mangia	legge	conosce
(noi)	giochiamo	paghiamo	cominciamo	mangiamo	leggiamo	conosciamo
(voi)	giocate	pagate	cominciate	mangiate	leggete	conoscete
(loro)	giocano	pagano	cominciano	mangiano	leggono	conoscono

Con i verbi in *-care/-gare*, alla seconda persona singolare e alla prima persona plurale si mette una *h* tra *c/g* e *are*; in questo modo la pronuncia rimane la stessa.
Nei verbi in *-ciare/-giare*, la *-i-* radicale e la *-i-* della desinenza si uniscono, così le forme della seconda persona singolare e della prima persona plurale hanno solo una *-i-*.
Nei verbi in *-gere* e *-scere* la pronuncia della *g* e della *sc* cambia quando la vocale che segue è *o* oppure *e/i*:
leggo [-go], leggi [-ʤi], conosco [-sko], conosci[-ʃi].

Il verbo *piacere*

Quando il verbo *piacere* è seguito da un altro verbo, quest'ultimo si lascia all'infinito e il verbo *piacere* si coniuga alla terza persona singolare. Quando *piacere* è seguito da un nome al singolare, il verbo *piacere* si coniuga alla terza persona singolare; quando il nome che segue è al plurale, il verbo *piacere* si coniuga alla terza persona plurale.

Mi **piace** leggere. (infinito)
Ti **piace** questa musica? (singolare)
Mi **piace** la pizza. (singolare)
Le **piacciono** tutti i libri. (plurale)

Lez. 4

c'è, ci sono

Il verbo *esserci* esiste solo nelle forme *c'è* e *ci sono*. *C'è* si usa con i nomi al singolare e *ci sono* con i nomi al plurale.

C'è un parcheggio qui vicino?
Ci sono due/delle camere libere per domani?

Osservate: con la domanda *c'è un/una/uno ...?* si chiedono informazioni sull'esistenza di qualcosa di impreciso; con la domanda *dov'è il/la ...?* si chiedono informazioni sull'esistenza di qualcosa di preciso.

G

C'è un ristorante qui vicino?
Dov'è il ristorante «Al sole» ?

Lez. 5·6

I verbi riflessivi

I verbi riflessivi si coniugano come verbi normali. Il pronome riflessivo viene sempre prima del verbo.

	riposar**si**
(io)	**mi** riposo
(tu)	**ti** riposi
(lui, lei, Lei)	**si** riposa
(noi)	**ci** riposiamo
(voi)	**vi** riposate
(loro)	**si** riposano

Lez. 9

La negazione *non* viene prima del pronome riflessivo.

Domani **mi** alzo presto.
Domani **non mi** alzo presto.

La costruzione impersonale

Lez. 8

La costruzione impersonale si fa con *si + verbo*. Se il nome che segue è singolare, il verbo si coniuga alla terza persona singolare; se il nome è plurale, il verbo si coniuga alla terza persona plurale.

Qui **si parla** francese.
Qui **si parlano** quattro lingue.

Il passato prossimo

Il *passato prossimo* si forma con il presente di *avere* o *essere* (verbi ausiliari) + il participio passato del verbo.

I verbi regolari in *-are* hanno il participio passato in *-ato*, i verbi in *-ere* hanno il participio passato in *-uto*, i verbi in *-ire* hanno il participio passato in *-ito*.

Lez. 7

infinito	participio passato
mangi**are**	mangi**ato**
av**ere**	av**uto**
part**ire**	part**ito**

Il passato prossimo con avere

	avere	participio passato
(io)	ho	mangiato
(tu)	hai	mangiato
(lui, lei, Lei)	ha	mangiato
(noi)	abbiamo	mangiato
(voi)	avete	mangiato
(loro)	hanno	mangiato

Quando l'ausiliare è *avere*, il *participio passato* è invariabile.

Il passato prossimo con essere

	essere	participio passato
(io)	sono	andato/-a
(tu)	sei	andato/-a
(lui, lei, Lei)	è	andato/-a
(noi)	siamo	andati/-e
(voi)	siete	andati/-e
(loro)	sono	andati/-e

Quando l'ausiliare è *essere*, il *participio passato* concorda in genere e numero con il soggetto.

Davide **è andato** a Stromboli.
Daniela **è andata** a Bolzano.
Davide e Daniela **sono andati** in vacanza.
Daniela e Maria **sono andate** al lavoro.

La negazione *non* va prima del verbo ausiliare. Il participio passato segue sempre il verbo ausiliare.

Davide **non è andato** a Firenze.

Molti verbi, specialmente quelli in *-ere*, hanno un participio passato irregolare.

essere	sono **stato/-a**
rimanere	sono **rimasto/-a**
venire	sono **venuto/-a**
aprire	ho **aperto**
bere	ho **bevuto**
chiudere	ho **chiuso**
dire	ho **detto**
fare	ho **fatto**
leggere	ho **letto**
mettere	ho **messo**
prendere	ho **preso**
scegliere	ho **scelto**
scrivere	ho **scritto**
vedere	ho **visto**

G

Uso dell'infinito

L'*infinito* senza preposizione si usa con una serie di verbi e di espressioni impersonali.

essere + aggettivo/avverbio	È possibile pagare subito?
potere	Posso uscire?
dovere	Devo venire alle otto?
volere	Vorrei andare al cinema.
preferire	Preferisco venire più tardi.
piacere	Ti piace viaggiare?
desiderare	Desidero stare tranquillo.

Con certi verbi ed espressioni si usa spesso una preposizione prima dell'infinito.

andare a	Quando vai **a** sciare?
cominciare a	Quando cominci **a** lavorare?
provare a	Proviamo **a** studiare il russo?
fare attenzione a	Devi fare attenzione **a** non lavorare troppo.
cercare di	Cerco **di** lavorare seriamente.
finire di	A che ora finisci **di** lavorare?
avere intenzione di	Hai intenzione **di** venire?
pregare di	La prego **di** rispondere.

La negazione

In italiano la negazione si esprime con *no, non* o con la forma *non* + *avverbi/pronomi*.

Sei di Berna?   – **No**, di Zurigo.
La stanza **non** è libera.
Vuoi un caffè?   – Perché **no**?

Quando c'è un pronome complemento o riflessivo, *non* va prima del pronome.

Non lo so.
Non ti alzi sempre presto?

La doppia negazione

Quando *niente*, *più* e *mai* seguono il verbo,
si deve usare la negazione *non* prima del verbo.

non … niente	**Non** ho fatto **niente** di particolare.
non … più	Adesso **non** piove **più**.
non … mai	**Non** vai **mai** a ballare?

Lez. 7

Le preposizioni

Le *preposizioni* collegano tra loro gli elementi di una frase.
In italiano ci sono le seguenti *preposizioni semplici*: *di, a, da, in, con, su, per, tra* e *fra*.
Le preposizioni *di, a, da, in, su* si uniscono all'articolo determinativo e formano una sola
parola (*preposizioni articolate*).

+	il	lo	l'	la	i	gli	le
di	del	dello	dell'	della	dei	degli	delle
a	al	allo	all'	alla	ai	agli	alle
da	dal	dallo	dall'	dalla	dai	dagli	dalle
in	nel	nello	nell'	nella	nei	negli	nelle
su	sul	sullo	sull'	sulla	sui	sugli	sulle

Lez. 5

G

Quello che segue è un quadro sintetico delle funzioni e dell'uso delle preposizioni.

La preposizione *di*

Provenienza
Sei di qui? – No, sono di Ferrara.

Tempo
di mattina / di sera
di giorno / di notte
di domenica

Materiale/Contenuto
una cravatta di seta
una bottiglia di vino

Quantità
un chilo di zucchero
un litro di latte
un po' di pane

Funzione partitiva
Vorrei del pesce.

Specificazione
il figlio di Franco
gli orari dei negozi

Paragone
Edoardo è più piccolo di Piero.
Il Po è più lungo dell'Adige.

Argomento
corso d'italiano

In combinazione con alcuni verbi/forme verbali
Ho intenzione di andare in Italia in estate.
Finisco di lavorare alle 18.
Che ne dici di quel film?

La preposizione *a*

Stato in luogo e moto a luogo

Sono/Vado a	Firenze.
	casa.
	scuola.
	teatro.
Sono/Vado al	bar.
	ristorante.
	cinema.

Distanza
a 50 metri dal mare
a 10 chilometri da Roma

Tempo
alle due / a mezzanotte
A più tardi! / A domani!
Vieni a Natale / a Pasqua?

Modo o maniera
tè al limone
andare a piedi

Complemento di termine
Ho scritto a mia madre.

Distributivo
due volte al giorno
una volta alla settimana

In combinazione con alcuni verbi
Vado spesso a ballare.
Adesso comincio a studiare.

La preposizione *da*

Stato in luogo/Moto a luogo
Com'è il tempo da voi?
Domani vado da una mia amica.

Provenienza
Da dove viene? – Da Roma.
il treno da Milano

Tempo
Lavoro qui da cinque anni.
Da lunedì comincio un nuovo lavoro.
Lavoro da lunedì a sabato.
Lavoro dalle 8 alle 17.

Scopo
scarpe da ginnastica

La preposizione *in*

Stato in luogo/Moto a luogo

Sono/Vado	in	Italia.
		banca.
		un bar.
		vacanza.

Modo o maniera
andare in treno o in macchina

Tempo
in gennaio
in inverno

La preposizione *con*

Compagnia
Esci sempre con gli amici?

Qualità
Per me un cornetto con la marmellata.
Mi piacciono le scarpe con i tacchi alti.

Mezzo
pagare con la carta di credito
andare con la macchina

La preposizione *su*

Luogo
Ho fatto un'escursione sulle Alpi.
Sono salito anche sul cratere.
navigare su Internet

Argomento
Vorrei una guida/un libro sulla Toscana.

La preposizione *per*

Destinazione
Per me un caffè, per cortesia.

Fine
Siamo qui per visitare la città.

Tempo
Per quanto tempo resta qui?
Posso restare qui solo per un'ora.

Moto a luogo con il verbo "partire"
L'altro ieri è partito per la Svezia.

Scopo
Sono qui per (motivi di) lavoro.

Modi di dire
Può venire per piacere/
    per cortesia/per favore?
Per fortuna è arrivata.
Per carità!
Per esempio

La preposizione *fra/tra*

Tempo
Il corso d'italiano finisce fra due mesi.
Vengo fra le due e le due e mezza.

Luogo
La chiesa è fra il museo e il teatro.

Altre preposizioni

dietro	Dietro la stazione c'è una chiesa.
dopo	Torno a casa dopo le dodici.
	Dopo cena resti a casa?
durante	Durante le vacanze non voglio fare niente!
senza	La coca senza ghiaccio, per cortesia.
sopra	Oggi la temperatura è sopra la media.
sotto	Sotto il cappotto indossa un vestito blu.
verso	Vengo verso mezzanotte/verso le nove/verso l'una.

Locuzioni preposizionali

accanto a	La chiesa è accanto alla stazione.
di fronte a	Abitiamo di fronte alla stazione.
davanti a	Davanti alla posta c'è una cabina telefonica.
fino a	Resto fuori fino a tardi/fino alle due.
	Lei va fino alla stazione.
in mezzo a	In mezzo all'incrocio c'è un semaforo.
insieme a	Oggi esco insieme a un mio amico.
prima di	Vengo prima delle otto/prima della lezione.
oltre a	Oltre al pane puoi comprare del latte?
vicino a	Abito vicino all'ospedale.

Le congiunzioni

Le congiunzioni uniscono due elementi di una frase o collegano due frasi tra loro.
Queste sono le congiunzioni presenti nel manuale:

e	dunque
o	perché
oppure	quando
anche	mentre
pure	se
ma	se
però	per + Infinito

I numeri e la data

I cardinali

da *0* a *99*

0 zero	20 venti	40 quaranta	60 sessanta	80 ottanta
1 uno	21 **ventuno**	41 **quarantuno**	61 **sessantuno**	81 **ottantuno**
2 due	22 ventidue	42 quarantadue	62 sessantadue	82 ottantadue
3 tre	23 ventitré	43 quarantatré	63 sessantatré	83 ottantatré
4 quattro	24 ventiquattro	44 quarantaquattro	64 sessantaquattro	84 ottantaquattro
5 cinque	25 venticinque	45 quarantacinque	65 sessantacinque	85 ottantacinque
6 sei	26 ventisei	46 quarantasei	66 sessantasei	86 ottantasei
7 sette	27 ventisette	47 quarantasette	67 sessantasette	87 ottantasette
8 otto	28 **ventotto**	48 **quarantotto**	68 **sessantotto**	88 **ottantotto**
9 nove	29 ventinove	49 quarantanove	69 sessantanove	89 ottantanove
10 dieci	30 trenta	50 cinquanta	70 settanta	90 novanta
11 undici	31 **trentuno**	51 **cinquantuno**	71 **settantuno**	91 **novantuno**
12 dodici	32 trentadue	52 cinquantadue	72 settantadue	92 novantadue
13 tredici	33 trentatré	53 cinquantatré	73 settantatré	93 novantatré
14 quattordici	34 trentaquattro	54 cinquantaquattro	74 settantaquattro	94 novantaquattro
15 quindici	35 trentacinque	55 cinquantacinque	75 settantacinque	95 novantacinque
16 sedici	36 trentasei	56 cinquantasei	76 settantasei	96 novantasei
17 diciassette	37 trentasette	57 cinquantasette	77 settantasette	97 novantasette
18 diciotto	38 trentotto	58 cinquantotto	78 settantotto	98 novantotto
19 diciannove	39 trentanove	59 cinquantanove	79 settantanove	99 novantanove

Lez. 1·2
5

Nei numeri che finiscono in –*uno* e –*otto* cade la vocale finale delle decine: es. *trentuno/trentotto*.
I numeri composti con –*tré* hanno l'accento.

da *100*

100 cento	101 centouno	112 centododici
200 duecento	250 duecentocinquanta	290 duecentonovanta
800 ottocento	900 novecento	933 novecentotrentatré
1.000 mille	2.000 duemila	10.000 diecimila
1.000.000 un milione	2.000.000 due milioni	
1.000.000.000 un miliardo	2.000.000.000 due miliardi	

Da notare che il plurale di *mille* è -*mila*: 3.000 = *tremila*
Il plurale di *milione* e *miliardo* è *milioni* e *miliardi*.

Gli ordinali

1° primo	6° sesto	
2° secondo	7° settimo	
3° terzo	8° ottavo	
4° quarto	9° nono	
5° quinto	10° decimo	

Gli ordinali sono aggettivi, perciò concordano in genere e numero con il nome cui si riferiscono.

la seconda traversa
il terzo ponte
la quinta fermata

Lez. 5·6

La data

Per la data si usano i numeri cardinali. Solo per il primo del mese si usa il numero ordinale:

1° marzo 2000 = primo marzo duemila

La data nelle lettere si scrive così:

Milano, 5 ottobre 2001 o Milano, 5/10/2001

Domande utili:

Quanti ne abbiamo?   – È il 21.

Lez. 5   Che giorno è oggi?   – Martedì.

Lista dei verbi irregolari

Infinito	Tempo	Forma
andare	*presente indicativo*	vado, vai, va, andiamo, andate, vanno
	passato prossimo	sono andato/-a
aprire	*presente indicativo*	apro, apri, apre, apriamo, aprite, aprono
	passato prossimo	ho aperto
avere	*presente indicativo*	ho, hai, ha, abbiamo, avete, hanno
	passato prossimo	ho avuto
bere	*presente indicativo*	bevo, bevi, beve, beviamo, bevete, bevono
	passato prossimo	ho bevuto
capire	*presente indicativo*	capisco, capisci, capisce, capiamo, capite, capiscono
	passato prossimo	ho capito
cercare	*presente indicativo*	cerco, cerchi, cerca, cerchiamo, cercate, cercano
	passato prossimo	ho cercato (così anche tutti i verbi in *-care*)
chiudere	*presente indicativo*	chiudo, chiudi, chiude, chiudiamo, chiudete, chiudono
	passato prossimo	ho chiuso
conoscere	*presente indicativo*	conosco, conosci, conosce, conosciamo, conoscete, conoscono
	passato prossimo	ho conosciuto (così anche tutti i verbi in *-scere*)
dire	*presente indicativo*	dico, dici, dice, diciamo, dite, dicono
	passato prossimo	ho detto
dovere	*presente indicativo*	devo, devi, deve, dobbiamo, dovete, devono
	passato prossimo	ho dovuto
essere	*presente indicativo*	sono, sei, è, siamo, siete, sono
	passato prossimo	sono stato/-a
fare	*presente indicativo*	faccio, fai, fa, facciamo, fate, fanno
	passato prossimo	ho fatto
finire	*presente indicativo*	finisco, finisci, finisce, finiamo, finite, finiscono
	passato prossimo	ho finito
giocare	*presente indicativo*	gioco, giochi, gioca, giochiamo, giocate, giocano
	passato prossimo	ho giocato
leggere	*presente indicativo*	leggo, leggi, legge, leggiamo, leggete, leggono
	passato prossimo	ho letto (così anche tutti i verbi in *-gere*)

G

mettere	*presente indicativo*	metto, metti, mette, mettiamo, mettete, mettono
	passato prossimo	ho messo
pagare	*presente indicativo*	pago, paghi, paga, paghiamo, pagate, pagano
	passato prossimo	ho pagato (così anche tutti i verbi in *-gare*)
piacere	*presente indicativo*	(mi) piace – (mi) piacciono
	passato prossimo	(mi) è piaciuto/-a; (mi) sono piaciuti/-e
potere	*presente indicativo*	posso, puoi, può, possiamo, potete, possono
	passato prossimo	ho potuto
prendere	*presente indicativo*	prendo, prendi, prende, prendiamo, prendete, prendono
	passato prossimo	ho preso
rimanere	*presente indicativo*	rimango, rimani, rimane, rimaniamo, rimanete, rimangono
	passato prossimo	sono rimasto/-a
sapere	*presente indicativo*	so, sai, sa, sappiamo, sapete, sanno
	passato prossimo	ho saputo
scegliere	*presente indicativo*	scelgo, scegli, sceglie, scegliamo, scegliete, scelgono
	passato prossimo	ho scelto
scrivere	*presente indicativo*	scrivo, scrivi, scrive, scriviamo, scrivete, scrivono
	passato prossimo	ho scritto
stare	*presente indicativo*	sto, stai, sta, stiamo, state, stanno
	passato prossimo	sono stato/-a
uscire	*presente indicativo*	esco, esci, esce, usciamo, uscite, escono
	passato prossimo	sono uscito/-a
vedere	*presente indicativo*	vedo, vedi, vede, vediamo, vedete, vedono
	passato prossimo	ho visto
venire	*presente indicativo*	vengo, vieni, viene, veniamo, venite, vengono
	passato prossimo	sono venuto/-a
volere	*presente indicativo*	voglio, vuoi, vuole, vogliamo, volete, vogliono
	passato prossimo	ho voluto

GLOSSARIO

L'asterisco (*) indica che il verbo ha una forma irrego-
lare al presente o al passato prossimo. I verbi che si
coniugano come finire (finisco) sono indicati (-isc).
Il punto sotto le parole indica dove cade l'accento.

LEZIONE 1

Primi contatti _____

1

Ciao! _____

o _____

Buongiorno! _____

Buona sera! _____

la signora _____

il dottore _____

il professore _____

2

scusi _____

Lei come si chiama? _____

Lei _____

come? _____

sono _____

e _____

tu _____

Come ti chiami? _____

io _____

Piacere! _____

anch'io _____

anche _____

mi chiamo _____

sì _____

sono io _____

Lei è il signor ... _____

è _____

il signore _____

essere* _____

chiamarsi _____

4

fare* conoscenza _____

5

come _____

il caffè _____

gli spaghetti (*pl.*) _____

il parmigiano _____

arrivederci _____

lo zucchero _____

la chitarra _____

il gelato _____

la Germania _____

il radicchio _____

gli zucchini (*pl.*) _____

i funghi (*pl.*) _____

il formaggio _____

il cuoco _____

il prosecco _____

il lago _____

il ragù _____

il cuore _____

6

Proviamo a leggere! _____

provare _____

leggere* _____

la cioccolata _____

la macchina _____

il giornale _____

la bicicletta _____

il vigile _____

la valigia _____

la chiesa _____

l'orologio _____

l'arancia _____

la chiave _____

7

Di dov'è? _____

di _____

dove? _____

italiana _____

inglese _____

no _____

irlandese _____

sono di _____

tedesco _____

austriaco _____

Di dove sei? _____

8

ricostruite i dialoghi _____

il dialogo _____

l'Italia _____

(l')italiano _____

l'Austria _____

la Svizzera _____

(lo) svizzero _____

la Spagna _____

(lo) spagnolo _____

l'Inghilterra _____

l'Irlanda _____

il Portogallo _____

(il) portoghese _____

la Francia _____

(il) francese _____

11

chi? _____

12

alla fine della lezione _____

la fine _____

la lezione _____

Ciao! _____

ArrivederLa! _____

Alla prossima volta! _____

A presto! _____

A domani! _____

domani _____

Buonanotte! _____

E inoltre _____

1

il numero _____

2

che? _____

3

Qual è il Suo numero
di telefono? _____

il telefono _____

l'indirizzo _____

la via _____

però _____

ho _____

il cellulare _____

Come, scusi? _____

il tuo numero _____

Come, scusa? _____

avere* _____

4

la rubrica telefonica _____

il corso d'italiano _____

il nome _____

il cognome _____

la piazza _____

il viale _____

il corso _____

il largo _____

il vicolo _____

LEZIONE 2

Io e gli altri _____

1

Come va? _____

Come sta? _____

Bene, grazie. E Lei? _____

bene _____

grazie _____

Come stai? _____

Oggi sto proprio male. _____

GL

proprio (*avv.*) _____

male _____

mi dispiace _____

benissimo _____

non c'è male _____

2

Le presento ... _____

presentare _____

molto lieto _____

3

questa è _____

senti _____

una mia amica _____

l'amica _____

questo è _____

un mio amico _____

l'amico _____

sai _____

parla _____

molto bene _____

l'italiano _____

Ah, sì? _____

invece _____

purtroppo _____

non parlo _____

lo spagnolo _____

stare _____

parlare _____

6

Che lingue parla? _____

che? _____

la lingua _____

il greco _____

l'olandese _____

l'inglese _____

il russo _____

il francese _____

lo svedese _____

7

presentazioni (*pl.*) _____

la festa _____

la libreria _____

8

Che lavoro fa? _____

il lavoro _____

Dott. (*m., abbr.* dottore) _____

l'ingegnere edile (*m.+f.*) _____

il medico chirurgo _____

il primario radiologo _____

l'ospedale (*m.*) _____

Dott.ssa (*f., abbr.* dottoressa) _____

l'architetto per interni _____

il salone (di estetista) _____

l'estetista _____

9

Faccio la segretaria. _____

fare* _____

la segretaria _____

Siete di qui? _____

qui _____

ma _____

abitare _____

a Bologna _____

Che cosa fate di bello? _____

bello _____

studiare _____

lavorare _____

in una scuola di lingue _____

la scuola _____

l'insegnante (*m.+f.*) _____

Che lavoro fai? _____

l'impiegata _____

l'agenzia pubblicitaria _____

lo studio fotografico _____

l'ufficio _____

10

Che parole mancano? _____

la parola _____

mancare _____

11

il posto di lavoro _____

il negozio _____

l'ufficio postale _____

il ristorante _____

l'officina _____

la banca _____

GL

la fabbrica   _____

la farmacia   _____

lo studente   _____

il pensionato   _____

tanto (*avv.*)   _____

la casalinga   _____

12

Chi sono?   _____

l'operaio/-a   _____

il commesso   _____

la commessa   _____

l'infermiere   _____

l'infermiera   _____

il/la farmacista   _____

13

per conoscerci meglio   _____

14

cerco   _____

cercare   _____

la camera   _____

in famiglia   _____

la famiglia   _____

in cambio di   _____

la conversazione   _____

in tedesco   _____

ed   _____

brasiliana   _____

come traduttrice   _____

l'architettura   _____

piccolo   _____

con   _____

il figlio   _____

di ... anni   _____

la baby-sitter   _____

ore pasti   _____

15

lo/la straniero/-a   _____

in Italia   _____

il/la collega   _____

di   _____

argentina   _____

ad Urbino   _____

visitare   _____

la città   _____

per motivi di lavoro   _____

il motivo   _____

perché   _____

amare   _____

adesso   _____

lavorare in proprio   _____

E inoltre

1

da ... a   _____

2

leggete e completate   _____

4

Quanti anni ha?   _____

5

Quanti anni hanno?   _____

6

indovinate   _____

indovinare   _____

di più   _____

di meno   _____

LEZIONE 3

Buon appetito!   _____

1

Che bevande sono?   _____

la bevanda   _____

l'aranciata   _____

l'aperitivo   _____

il bicchiere di latte   _____

il bicchiere   _____

il latte   _____

l'acqua minerale   _____

l'acqua   _____

lo spumante   _____

la spremuta di pompelmo   _____

la spremuta   _____

il pompelmo   _____

il cappuccino   _____

GL

la birra   _____

2

conoscere (-isc)   _____
il nome   _____
altro (*agg.*)   _____

3

in un bar   _____
il bar   _____
i signori   _____
desiderare   _____
prendere*   _____
il cornetto   _____
il caffè macchiato   _____
vorrei   _____
poi   _____
il tè   _____
il limone   _____
la crema   _____
la marmellata   _____
per me   _____
solo   _____
bene   _____
allora   _____
prendere da mangiare   _____
mangiare   _____
prendere da bere   _____
bere*   _____
il toast   _____
il caffè   _____

5

il tramezzino   _____
il panino imbottito   _____
la pizza   _____
la pasta   _____

6

Quali piatti conoscete?   _____
il piatto   _____
il menù   _____
a prezzo fisso   _____
il prezzo   _____
l'antipasto   _____
gli affettati misti   _____

i pomodori ripieni   _____
il pomodoro   _____
la bruschetta   _____
l'insalata di mare   _____
il primo piatto   _____
i tortellini (*pl.*)   _____
in brodo   _____
le tagliatelle (*pl.*)   _____
i porcini (*pl.*)   _____
le lasagne (*pl.*)   _____
al forno   _____
il risotto ai funghi   _____
il minestrone   _____
ai frutti di mare   _____
al pomodoro   _____
il secondo piatto   _____
la carne   _____
la cotoletta alla milanese   _____
la braciola di maiale   _____
il maiale   _____
ai ferri   _____
il pollo   _____
allo spiedo   _____
l'arrosto   _____
il vitello   _____
il pesce   _____
la trota alla mugnaia   _____
la sogliola   _____
il contorno   _____
l'insalata mista   _____
le patatine fritte   _____
il purè di patate   _____
la patata   _____
gli spinaci (*pl.*)   _____
al burro   _____
il burro   _____
i peperoni (*pl.*)   _____
alla griglia   _____
il dessert   _____
la frutta   _____
fresco   _____
la macedonia   _____
la fragola   _____
la panna cotta   _____
il tiramisù   _____

GL

7

la trattoria _____

il litro _____

rosso _____

gasato _____

la coca _____

vuole _____

volere* _____

solo un primo _____

la minestra di fagioli _____

la minestra _____

il fagiolo _____

va bene così _____

così _____

il ragazzo _____

la pasta _____

preferire (-_isc_) _____

qualcos'altro _____

un quarto di _____

il vino _____

mezzo _____

per piacere _____

naturale _____

senza _____

il ghiaccio _____

8

il vino bianco _____

il riso _____

lo strudel _____

9

il ristorante _____

il piatto _____

il coltello _____

la forchetta _____

il cucchiaio _____

il cucchiaino _____

il tovagliolo _____

il pane _____

il sale _____

il pepe _____

l'olio _____

l'aceto _____

la bottiglia _____

10

sul tavolo _____

il tavolo _____

11

il conto _____

per favore _____

ascoltate e completate _____

ascoltare _____

completare _____

per cortesia _____

Dica! _____

mi porta _____

portare _____

ancora _____

certo _____

molto buono _____

un momento _____

magari _____

il caffè corretto _____

sì, grazie _____

d'accordo _____

12

qualcosa _____

un po' di _____

13

il locale _____

la cucina _____

esotico _____

fumare _____

tipico _____

regionale _____

circa _____

la persona _____

cinese _____

grande _____

la scelta _____

di fantasia _____

la sala banchetti _____

fino a _____

la veranda _____

all'aperto _____

pugliese _____

la domenica _____

trentino _____

fatto in casa _____

gradito _____

la prenotazione _____

chiuso _____

il martedì _____

la pizzeria _____

a richiesta _____

a mezzogiorno _____

il menù del giorno _____

il giorno di chiusura _____

il giorno _____

la sala non fumatori _____

il fumatore _____

climatizzato _____

il sabato _____

quale? _____

14

l'invito _____

a cena _____

la cena _____

la carota _____

la frittata _____

la zucchina _____

le melanzane alla parmigiana _____

la mozzarella _____

le pere cotte _____

la pera _____

il petto di pollo _____

il tempo _____

molto tempo _____

per _____

cucinare _____

essere d'accordo _____

15

stasera _____

il secondo _____

E inoltre

1

possibile _____

prenotare _____

per le otto _____

quanto? _____

forse _____

A che nome? _____

va bene _____

grazie mille _____

prego _____

Si figuri! _____

a più tardi _____

2

l'alfabeto _____

ripetete _____

la lettera _____

straniero _____

3

il personaggio _____

misterioso _____

4

riservato _____

telefonare _____

LEZIONE 4

Tempo libero _____

1

accanto a _____

il disegno _____

corrispondente _____

l'attività _____

il giardino _____

dormire _____

leggere* _____

ballare _____

fare* sport _____

2

di solito _____
vado in palestra _____
andare* _____
la palestra _____
stare _____
quasi _____
sempre _____
a casa _____
la casa _____
guardare la TV _____
la TV (*abbr.* televisione) _____
a lungo _____

3

andare al cinema _____
il cinema _____
navigare su Internet _____
giocare a tennis _____
giocare _____
fare una passeggiata _____
la passeggiata _____
fare la spesa _____
ascoltare musica _____
la musica _____
andare in bicicletta _____
giocare a carte _____

4

una persona che _____
che _____
lo yoga _____

5

il fine settimana _____
la settimana _____
il sabato sera _____
la sera _____
esco _____
uscire* _____
spesso _____
la discoteca _____
non ... mai _____
insieme _____
qualche volta _____
il lunedì _____
il mercoledì _____
il giovedì _____
il venerdì _____

6

mai _____
scrivete con che frequenza _____
scrivere* _____
fare ginnastica _____
la ginnastica _____
fuori _____
andare a teatro _____
il teatro _____
andare a sciare _____
sciare _____
confrontate le vostre frasi _____
la frase _____
con quelle di un _____
   compagno _____
il compagno _____
ci sono _____
stesso _____
segnatele _____
poi _____
riferite _____
noi due _____

7

corrispondere _____
il testo _____
rispondete alle domande _____
la domanda _____
l'età _____
la professione _____
la descrizione personale _____
insegnare _____
la matematica _____
da sei mesi _____
da _____
il mese _____
andare in piscina _____
la piscina _____
giocare a calcio _____
il calcio _____
oppure _____
suonare _____
il basso _____
il pianoforte _____
molto _____
la studentessa _____
ungherese _____
l'economia _____

mi piace   _____

viaggiare   _____

per lavoro   _____

altre   _____

imparare   _____

il libro   _____

mi piacciono   _____

moltissimo   _____

la canzone   _____

di   _____

vi prego   _____

pregare   _____

lo strumento   _____

volentieri   _____

da poco tempo   _____

8

la conoscenza   _____

via Internet   _____

l'e-mail (f.)   _____

9

fra   _____

allora   _____

cosa?   _____

tantissimo   _____

soprattutto   _____

il ballo   _____

sudamericano   _____

l'opera   _____

Oddio!   _____

perché?   _____

odiare   _____

Veramente?   _____

il gusto   _____

formare   _____

10

Le piace ...?   _____

intervistare   _____

scoprire*   _____

i suoi   _____

affatto   _____

per niente   _____

la musica classica   _____

il rap   _____

il film giallo   _____

il film   _____

il libro di fantascienza   _____

il fumetto   _____

a letto   _____

il letto   _____

l'arte moderna   _____

moderno   _____

11

a me   _____

a te   _____

a Lei   _____

anche a me   _____

a me invece no   _____

neanche a me   _____

neanche   _____

a me invece sì   _____

13

i giovani   _____

l'intervista   _____

durante   _____

poco (avv.)   _____

la gente   _____

il/la barista   _____

da sola   _____

E inoltre

1

Che ora è?   _____

Che ore sono?   _____

Sono le due.   _____

Sono le due e un quarto.   _____

Sono le due e mezza.   _____

Sono le tre meno venti.   _____

È mezzogiorno.   _____

È mezzanotte.   _____

2

adesso   _____

l'ora   _____

Sa ...?   _____

GL

LEZIONE 5

In albergo _____
l'albergo _____

1

abbinare _____
il simbolo _____
la camera _____
la camera singola _____
il bagno _____
il parcheggio _____
cani ammessi _____
il cane _____
la camera matrimoniale _____
il frigobar _____
la doccia _____

2

ideale _____
la posizione _____
ottimale _____
a piedi _____
fare compere _____
il centro _____
la camera doppia _____
la (camera) tripla _____
tutte _____
l'aria condizionata _____
il bambino _____
sotto _____
gratis _____
la villa _____
tra _____
il palazzo _____
toscano _____
internazionale _____
privato _____
l'istituto _____
la suora _____
elegante _____
quartiere residenziale _____
il quartiere _____
alcune _____
la colazione _____
compreso _____
a persona _____
orario di rientro _____

l'orario _____
la sala TV _____
la sala riunioni _____
la cappella _____
aperto _____
tutto l'anno _____
tutto _____
l'anno _____
qual è? _____
la vacanza _____
economico _____
chi _____
passare _____
l'hotel (*m.*) _____
perché? _____
caro _____
tranquillo _____
portare _____
l'animale _____
la risposta _____

3

la telefonata _____
il questionario _____
per _____
la notte _____
il garage _____
venire* _____
la conferma _____
il fax _____
la carta di credito _____
riascoltare _____
senta, avete _____
prossimo _____
un attimo _____
prego _____
dunque _____
beh _____
c'è _____
esserci* _____
lo stesso _____
a partire da _____
perfetto _____
Quanto viene? _____
Quanto? _____
un'ultima informazione _____
l'informazione (*f.*) _____
mi dispiace _____

ci sono _____

vicino _____

La ringrazio _____

ringraziare _____

allora _____

ancora una cosa _____

potere* _____

mandare _____

subito _____

se vuole _____

se _____

5

in coppia _____

la coppia _____

in base _____

alle seguenti indicazioni _____

la coperta _____

il cuscino _____

il portacenere _____

l'armadio _____

la sedia _____

la lampada _____

il termosifone _____

l'asciugacapelli (*m.*) _____

la carta igienica _____

la saponetta _____

l'asciugamano _____

7

avrei _____

il problema _____

chiamare _____

da _____

c'è il riscaldamento che
  non funziona _____

il riscaldamento _____

funzionare _____

altro _____

il portiere _____

la reception _____

venire* _____

qualcuno _____

controllare _____

Si immagini! _____

8

il televisore _____

chiudere* _____

la finestra _____

potere* _____

l'acqua calda _____

caldo _____

9

il cliente _____

scontento _____

10

la camera da letto _____

l'ingresso _____

il soggiorno _____

piccoli annunci _____

l'annuncio _____

l'appartamento _____

offrire* _____

il bilocale _____

centrale _____

il piano _____

l'ascensore (*m.*) _____

il riscaldamento
  autonomo _____

vicino a _____

fermata bus _____

la fermata _____

il lungomare _____

il posto auto _____

febbraio _____

affittare _____

situato _____

la zona _____

ben arredato _____

con ogni comfort _____

ogni (*inv.*) _____

il posto letto _____

interessante _____

la lavatrice _____

mensile _____

marzo _____

aprile _____

a 50 metri dal mare _____

il mare _____

indipendente _____

maggio _____

GL

ottobre _____

giugno _____

settembre _____

il villino _____

con vista su _____

il balcone _____

i doppi servizi _____

il locale _____

la strada _____

sottolineare _____

la lista _____

gennaio _____

luglio _____

agosto _____

novembre _____

dicembre _____

il numero ordinale _____

l'ordine (*m.*) _____

giusto _____

11

in vacanza _____

prendere* in affitto _____

quale? _____

questi (*pl.*) _____

la montagna _____

12

quanti? _____

andare in vacanza _____

libero _____

essere interessati a ... _____

13

la lettera _____

da _____

caro/-a _____

carino _____

comodo _____

bello _____

il padrone di casa _____

tornare _____

tanti cari saluti _____

il saluto _____

E inoltre

1

da ... in poi _____

3

la data _____

si scrive _____

in italiano _____

confermare _____

telefonico _____

distinti saluti _____

Che giorno è oggi? _____

Quanti ne abbiamo? _____

LEZIONE 6

In giro per l'Italia _____

in giro per _____

1

il Bel Paese _____

il Paese _____

la foto _____

A quali città pensate? _____

pensare _____

conoscere _____

tanto (*avv.*) _____

vedere* _____

2

andare* _____

Vero? _____

ci _____

lì _____

com'è? _____

tante cose da vedere* _____

il mercato _____

l'università _____

famoso _____

il museo _____

la mostra _____

sapere* _____

a Pasqua _____

la Pasqua _____

proprio (*avv.*) _____

Guardi! _____

GL

la zona pedonale _____

4

unire (*-isc*) _____
la zona industriale _____
l'edificio _____
antico _____
il paese _____

5

il castello _____
la torre _____
importante _____

6

la mia _____
che cosa c'è da (+ *inf.*)? _____
tanti/-e (*agg.*) _____

7

frequentare _____
il restauro _____
un po' _____
rumoroso _____
vivace _____
per esempio _____
la basilica _____
qualcosa da ... (+ *inf.*) _____
quando _____
andare a vedere _____
guardare _____
la vetrina _____
il posto _____
i dintorni (*pl.*) _____
insomma _____
vero e proprio _____
il soggiorno _____
culturale _____

8

la cartolina _____
descrivere* _____

9

l'autobus (*m.*) _____
mi scusi _____
dunque _____
se _____

il terminal delle
  autocorriere _____
l'autocorriera _____
fermare _____
davanti a _____
la stazione _____
a due passi _____
a quale fermata? _____
dovere* _____
scendere* _____
credere _____
è meglio se _____
chiedere* _____
una volta _____
la preposizione _____
il/la turista _____

10

sostituire (*-isc*) _____
il duomo _____
archeologico _____
il teatro comunale _____
la posta centrale _____
la biblioteca _____
girare _____
a destra _____
a sinistra _____
dritto _____
attraversare _____
il semaforo _____
la traversa _____
l'incrocio _____

11

coprire* _____
la cartina _____
arrivare _____
cenare _____
a quest'ora _____
già _____
capire (*-isc*) _____
che _____
chiudere* _____
verso _____
in via ... _____
uscire* _____
continuare _____

GL

avanti _____

no, anzi _____

accanto a _____

inserire _____

l'espressione (*f.*) _____

Peccato! _____

veramente _____

prima _____

cambiare _____

12

fino a _____

subito dopo _____

la Cassa di Risparmio _____

di qui _____

13

di fronte a _____

il supermercato _____

il distributore _____

all'angolo _____

l'angolo _____

fra _____

dietro _____

14

la pagina _____

l'ufficio del turismo _____

15

domandare a qu. _____

il/la passante _____

la crocetta _____

esatto _____

lontano (da) _____

il ponte _____

il parco _____

collegare _____

Non c'è di che! _____

Non lo so. _____

Non sono di qui. _____

E inoltre

1

a che ora ...? _____

partire _____

il prossimo autobus per ... _____

per _____

quando? _____

il treno _____

cominciare _____

l'ultimo spettacolo _____

ultimo _____

lo spettacolo _____

chiudere* _____

2

da voi _____

il gruppo _____

l'orario _____

con quelli _____

la vostra _____

la differenza _____

LEZIONE 7

Andiamo in vacanza! _____

1

l'idea _____

partire _____

il viaggio _____

il pernottamento _____

la visita guidata _____

la visita _____

la partenza _____

tutti i martedì _____

la meditazione _____

il convento _____

la pensione completa _____

a scelta _____

la bici (*abbr.* bicicletta) _____

la sosta _____

la tappa _____

giornaliero _____

la serata gastronomica _____

il volo _____

l'alloggio _____

l'animazione (f.) _____

il servizio _____

il centro benessere _____

il benessere _____

il reparto _____

la cura _____

l'idroterapia termale _____

la fangoterapia _____

il massaggio _____

la sauna _____

la dieta _____

la mezza pensione _____

a gestione familiare _____

l'escursione (f.) _____

le Dolomiti _____

la guida alpina _____

la guida _____

il minigolf _____

il campo giochi _____

proprio _____

il corpo _____

andare in montagna _____

tradizionale _____

stressato _____

il silenzio _____

la natura _____

dinamico _____

sportivo _____

alcuni _____

assoluto _____

2

l'offerta _____

3

la giornata _____

intenso _____

pranzare _____

il pomeriggio _____

dopo cena _____

salutare _____

andare a letto _____

tuo/tua _____

ieri _____

salire* _____

il cratere _____

lo spettacolo _____

indimenticabile _____

stamattina _____

la spiaggia _____

fare un giro in barca _____

la barca _____

splendido _____

stasera _____

tornare _____

il bacio _____

5

breve _____

diverso _____

ognuno _____

raccontare _____

quello che _____

il campeggio _____

montare la tenda _____

la tenda _____

fare surf _____

fare un giro in bicicletta _____

fare la doccia _____

preparare _____

il vaporetto _____

fare fotografie _____

un poco (avv.) _____

incontrare _____

insieme a _____

6

il viaggio in bicicletta _____

affittare _____

fare un corso _____

restare _____

7

fuori città _____

il giorno dopo _____

usare _____

8

Chiaro! _____

Che domanda! _____

partire _____

presto _____

come al solito _____

fare il bagno _____

prendere* il sole _____

il sole _____

più tardi _____

tardi _____

fare un giro in gommone _____

il gommone _____

molto bello _____

niente di particolare _____

particolare (*agg.*) _____

rimanere* _____

la mattina _____

fare colazione _____

mettere* in ordine _____

un po' (*avv.*) _____

dopo _____

per fortuna _____

Ah, ecco! _____

brevissimo _____

9

lo schema _____

10

scorso _____

12

quando è stata _____

   l'ultima volta che ... _____

la volta _____

più _____

parlare al telefono _____

due settimane fa _____

prima di (*prep.*) _____

l'altro ieri _____

13

l'itinerario _____

seguire _____

le sue _____

l'ospite (*m. + f.*) _____

la pensione _____

il Brunello _____

il Palio _____

medioevale _____

il passato _____

etrusco _____

E inoltre

1

previsioni del tempo _____

il tempo _____

riferirsi (*-isc*) a qc. _____

la nube _____

al Nord _____

il Nord _____

qualche (*inv.*) _____

il temporale _____

le Alpi _____

sul resto d'Italia _____

la temperatura _____

sopra la media _____

caldo _____

ovunque _____

il vento _____

debole _____

al largo _____

la brezza _____

la costa _____

il Centrosud _____

calmo _____

l'Est _____

l'Ovest _____

il Sud _____

2

Che tempo fa? _____

Pronto? _____

appena _____

il bosco _____

di nuovo _____

andare a funghi _____

a dire* il vero _____

anzi _____

abbastanza _____

brutto _____

qua _____

fare freddo _____

freddo _____

con questo tempo _____

la nuvola _____

non piove più _____

piovere _____

da te _____

scommettere* _____

c'è il sole _____

fare caldo _____

addirittura _____

al Sud _____

3

Che freddo! _____

Che vento! _____

Che pioggia! _____

la pioggia _____

Che caldo! _____

LEZIONE 8

Sapori d'Italia _____

il sapore _____

1

gli alimentari (*pl.*) _____

il panino _____

il biscotto _____

il burro _____

l'uovo (*pl.* le uova) _____

la ciliegia _____

la carne macinata _____

l'uva _____

la bistecca _____

il salame _____

il miele _____

l'aglio _____

la pesca _____

il prosciutto _____

la cipolla _____

il prodotto _____

l'abitudine (*f.*) _____

il negozio di alimentari _____

il negozio specializzato _____

il prodotto biologico _____

discutere* _____

2

abbinare _____

il panificio _____

la macelleria _____

l'etto _____

il grammo _____

il pacco _____

il chilo _____

4

la mortadella _____

affettato _____

sottile sottile _____

guardi un po' _____

ecco fatto _____

il pezzo _____

troppo _____

stagionato _____

piuttosto _____

fresco _____

appunto _____

ne _____

mezzo chilo _____

il litro _____

il latte fresco _____

il vasetto _____

la maionese _____

l'oliva _____

lo yogurt magro _____

la confezione _____

verde _____

nero _____

grosso _____

altro? _____

nient'altro _____

ecco _____

Si accomodi alla cassa! _____

accomodarsi _____

la cassa _____

6

il modello _____

il prosciutto cotto _____

il prosciutto crudo _____

a lunga conservazione _____

lo yogurt intero _____

8

il negoziante _____

9

la spesa _____

10

l'aceto balsamico _____

11

l'abitante (_m.+f._) _____
in provincia di _____
la collina _____
il vigneto _____
la cantina _____
ospitare _____
animato _____
l'attrattiva _____
insomma _____
da queste parti _____
fra l'altro _____
si _____
approfittare _____
la figlia _____
la nuora _____
vendere _____
quotidianamente _____
avere inizio _____
finire (_-isc_) _____
dodici e più ore dopo _____
dopo _____
il prodotto più richiesto _____
i tortelli (_pl._) _____
di magro _____
la ricotta _____
reggiano (_agg._) _____
acquistare _____
la torta salata _____
salato _____
la torta _____
dolce (_agg._) _____
la crostata _____
la pizza al taglio _____
la domenica mattina _____
il marito _____

dare una mano _____
che cosa c'è di (+ _agg._)? _____
che tipo di (+ _sost._)? _____
aiutare _____

12

il mio _____
preferito _____
speciale _____

13

il pasto _____
a colazione _____
vero _____
i salumi (_pl._) _____
il vostro _____

14

mettere* _____
la successione _____
la ricetta _____
tagliare _____
a pezzettini _____
lo spicchio d'aglio _____
la costa di sedano _____
il sedano _____
far(e) rosolare _____
rosolare _____
la verdura _____
ben _____
aggiungere* _____
mescolare _____
cuocere* _____
salare _____
pepare _____
versare _____
evaporare _____
la scatola _____
i pomodori pelati _____
a fuoco basso _____
il fuoco _____
l'ora _____

E inoltre

1

la stagione _____
associare a _____
il cocomero _____
il carciofo _____
la castagna _____
l'asparago _____
la primavera _____
l'estate (_f._) _____
l'autunno _____
l'inverno _____

2

il mandarino _____

LEZIONE 9

Vita quotidiana _____
la vita _____
quotidiano _____

1

il panettiere _____
finire (_-isc_) _____
di notte _____
da ... a ... _____
a volte _____
cominciare _____
il mattino _____
prima delle ... _____
fino alle ... _____
di mattina _____
di pomeriggio _____

2

l'orario di lavoro _____

3

alzarsi _____
duro _____
il lato _____
positivo _____
stanco _____
naturalmente _____
dopo pranzo _____

il pranzo _____
riposarsi _____
la moglie _____
i figli (_pl._) _____
il negozio di dischi _____
quindi _____
regolare _____
la pausa _____
raramente _____
aver(e) fame _____
la fame _____
semplicemente _____
fare due passi _____

5

informarsi _____
la giornata lavorativa _____
nuovo _____
simile _____

6

normale _____
lavarsi _____
vestirsi _____
andare* al lavoro _____
fra ... e ... _____
svegliarsi _____

7

il/la tassista _____
la mamma _____
la pensionata _____
il pizzaiolo _____

8

la ragazza _____
mettere* _____
la tuta _____
cercare di _____
oltre a _____

9

il titolo _____
l'uscita (di casa) _____
il divertimento _____
scegliere* _____
compiono il solito tragitto _____

GL

solito _____
il tragitto _____
normalmente _____
sei sere su sette _____
le pantofole (*pl.*) _____
il TG (*abbr.* telegiornale) _____
il film _____
a tavola _____
la tavola _____
le stesse cose _____
alla settimana _____
la sorpresa _____
la routine _____
fare felici _____
felice _____
schiavi delle abitudini _____
il ritmo _____
il campione _____
la creatività _____
sembrare _____
la statistica _____
su _____
il campione _____
disegnare _____
per cento _____
per carità! _____
il posto fisso _____
la pensione _____
uguale _____
ovvio _____
cambiare _____
quel che _____
aspettarsi _____
il bisogno _____
la sicurezza _____
la paura _____
il rischio _____
la comodità _____
il rifiuto _____
l'assenza _____
la voglia _____
la forza _____
il telefonino _____
lo psicologo _____
annoiarsi _____
fare bene _____
cambiare casa _____
le amicizie (*pl.*) _____

contenuto _____
riportato _____
rileggere* _____
l'articolo _____
la parte _____
il verbo _____
la forma impersonale _____
il verbo riflessivo _____

10

il mezzo pubblico _____
il tram _____
la metropolitana _____
dipende _____
nello stesso modo _____
in un modo _____
Quante volte? _____

E inoltre

1

Auguri! _____
contare _____
divertirsi _____
Buon compleanno! _____
la laurea _____
il matrimonio _____
dimenticare _____
in due _____
affettuoso _____
Felicitazioni vivissime! _____
Complimenti! _____
bravo _____
In bocca al lupo! _____
la carriera _____
splendido _____

2

la ricorrenza _____
il Natale _____
il Ferragosto _____
il lavoratore _____
il Capodanno _____
San Silvestro _____
la festa della donna _____
la donna _____
San Giuseppe _____
la festa del papà _____

il papà _____
San Valentino _____
l'innamorato _____
la Repubblica _____
festeggiare _____

3

l'occasione (f.) _____
il compleanno _____
accompagnare _____
finalmente _____
trovare _____
Buon viaggio! _____
Alla salute! _____
Cin cin! _____
Congratulazioni! _____
Buon anno! _____
Buon Natale! _____
Buone vacanze! _____
Buona Pasqua! _____

LEZIONE 10

Fare acquisti _____
grigio _____
rosa _____
giallo _____
arancione _____
marrone _____
blu _____
azzurro _____
celeste _____
viola _____
beige _____
a righe _____
a quadri _____
di _____
la lana _____
il cotone _____
la seta _____
la pelle _____

1

descritto _____
avere* _____
il vestito _____
la camicia _____
la cravatta _____
l'impermeabile (m.) _____
vestire _____
portare _____
aderente _____
lo stivale _____
la giacca a vento _____
la maglia _____
i pantaloni (pl.) _____
la giacca _____
indossare _____
il vestito _____
il cappotto _____
la borsetta _____
la scarpa _____
pure _____
con i tacchi alti _____
il tacco _____
il pullover _____
il giubbotto _____
l'abbigliamento _____
classico _____
la gonna _____
la camicetta _____
basso _____

2

al massimo _____
vincere* _____
per primo _____
il maglione _____
un paio di pantaloni _____
la borsa _____

3

il pullover da uomo _____
l'uomo _____
la taglia _____
il modello _____
il regalo _____
giovanile _____
i colori di moda _____
il colore _____

GL

la stagione _____

il capo _____

andare bene con _____

Quanto costa? _____

costare _____

ottima qualità _____

eventualmente _____

cambiare _____

star bene _____

conservare _____

lo scontrino _____

4

adatto _____

6

il guanto _____

il sandalo _____

la cintura _____

corto _____

la scarpa da ginnastica _____

la pelliccia _____

pesante _____

largo _____

stretto _____

il cappello _____

la sciarpa _____

7

il negozio di calzature _____

perché non provi ...? _____

provare _____

questo/-a _____

più sportivo _____

quei mocassini _____

quello/-a _____

il mocassino _____

troppo (*avv.*) _____

spendere* _____

che ne dici di ...? _____

dire* _____

meno _____

secondo me _____

avere ragione _____

la ragione _____

9

lo scialle _____

lungo _____

leggero _____

10

i giovani _____

l'appuntamento _____

il centro commerciale _____

i ragazzi _____

di oggi _____

incontrarsi _____

il negozio di scarpe _____

scherzare _____

per ore e ore _____

vivere* _____

in mezzo a _____

amarsi _____

odiarsi _____

fare amicizia _____

sotto _____

la luce _____

giovane _____

mega _____

sparso _____

diventare _____

il punto di ritrovo _____

il ritrovo _____

la generazione _____

il successo _____

semplice _____

il corridoio _____

colorato _____

vivace _____

allegro _____

la periferia _____

la birreria _____

l'edicola _____

il parrucchiere _____

il taglio (di capelli) _____

la minicittà _____

l'oggetto _____

di corsa _____

portare la divisa di moda _____

la divisa _____

la compagnia _____

largo in fondo _____

(le scarpe con) la zeppa _____

il brillantino	_____
il naso	_____
l'anellino	_____
la moda	_____
etnico	_____
fanatico di	_____
un paio di	_____
l'elettricista (m. + f.)	_____
mentre	_____
innamorarsi di	_____
la maglietta	_____
il lavoretto	_____
possedere*	_____
il consumismo	_____
giovanile	_____
servire	_____
telefonare	_____
ma	_____
mandarsi	_____
il messaggio	_____
scritto	_____
il capo d'abbigliamento	_____
l'accessorio	_____

11

l'opinione (f.)	_____
pratico	_____

12

il diminutivo	_____

14

l'articolo (vestito)	_____
citare	_____
la tuta da sci	_____
la fascetta	_____
il costume da bagno	_____
l'accappatoio	_____
lo scarpone (da sci)	_____
il calzino	_____
i pantaloncini (pl.)	_____
i fratelli (pl.)	_____
svolgere* un'attività	_____
il cliente tipo	_____
seguire la moda	_____
abituale	_____

la valle	_____
lo sconto	_____
in certi periodi	_____
il periodo	_____

15

È vero?	_____
motivare	_____
conveniente	_____
cercare di	_____
l'articolo di marca	_____
aspettare	_____
la svendita	_____
fine stagione	_____
in generale	_____
fare attenzione a	_____
pagare	_____

E inoltre

1

la cartoleria	_____
il francobollo	_____
il vocabolario	_____
la sigaretta	_____
il quaderno	_____
la penna	_____

2

la tabaccheria	_____
fare shopping	_____
i grandi magazzini	_____
il reparto	_____
la profumeria	_____
l'accendino	_____
è tutto	_____
Quant'è?	_____
la guida	_____

3

mettere* in scena	_____
svolgersi*	_____

Qualcosa in più

Un must del tempo libero _____

il must _____

definitivamente _____

scomparso _____

il mezzo di trasporto _____

l'attrezzo sportivo _____

il benessere fisico _____

l'uso _____

resistere* _____

l'area _____

la cittadina _____

la tradizione _____

il trasporto _____

passare a _____

il passatempo _____

la forma fisica _____

radicalmente _____

tornare ad essere _____

l'oggetto del desiderio _____

il desiderio _____

il giocattolo _____

tirar fuori _____

imitare _____

i campioni del pedale _____

il pedale _____

il proprietario _____

usare _____

esclusivamente _____

l'utilizzo _____

la bici _____

risultare _____

nettamente _____

la popolazione _____

il reddito _____

la scolarità _____

la posizione
  socioculturale _____

elevato _____

ancora più di rado _____

l'aiuto _____

almeno _____

economicamente _____

Spaghetti al pomodoro _____

I più amati dagli italiani _____

il più amato _____

altrettanto _____

il formato _____

la passione _____

confermare _____

il sondaggio _____

realizzare _____

la ricerca _____

emergere* _____

infatti _____

che _____

raccogliere* consensi _____

il maggior numero _____

che hanno fatto salire _____

salire* _____

la percentuale _____

contro _____

piazzarsi _____

le penne _____

i rigatoni _____

il superclassico _____

il basilico _____

la preferenza _____

i vermicelli _____

la vongola _____

il tipo _____

un terzo _____

Lui e io

aver(e)* caldo _____

aver(e)* freddo _____

veramente _____

non fare che lamentarsi _____

lamentarsi _____

sdegnarsi _____

infilarsi _____

il golf _____

sapere* _____

nessuno _____

riuscire* _____

in qualche modo _____

il senso dell'orientamento _____

muọversi* _____

la farfalla _____

spẹrdersi _____

ritornare _____

sconosciuto _____

l'automọbile (f.) _____

ordinare _____

la pianta topogrạfica _____

imbrogliarsi _____

il cerchiolino _____

arrabbiarsi _____

la pittura _____

importare _____

annoiarsi _____

solo (*agg.*) _____

il mondo _____

la poesịa _____

lo sforzo _____

spiacẹvole _____

il dovere _____

la fatica _____

resterẹi _____

mi muoverẹi _____

tuttavịa _____

il concerto _____

addormentarsi _____

la virtù _____

GL

SOLUZIONI DEGLI ESERCIZI

LEZIONE 1

1

	8.00	19.00
con il "tu"	ciao	ciao
con il "Lei"	buongiorno	buona sera

2

1. Buona, Lei, piacere; 2. sono, come, chiami, Poli;
3. mi chiamo, tu; 4. Scusi, come, Lei, chiamo

3

1. GELATO; 2. CHIAVE; 3. BICICLETTA;
4. CHITARRA; 5. CUORE; Soluzione: LIBRO

4

1. c; 2. d; 3. e; 4. b; 5. a

5

Germania, Italia, Francia, Spagna, Portogallo,
Svizzera, Irlanda, Inghilterra

6

Scusi, Lei è spagnola?
No, sono portoghese.
Ah, portoghese. E di dove?
Di Oporto. E Lei di dov'è?
Di Milano.
Piacere. Mi chiamo Maria Rodriguez.
Piacere, Fellini.

7

1. sono; 2. è; 3. Mi chiamo, si chiama; 4. sei;
5. ti chiami; 6. è

8

Quando si arriva: ciao, buongiorno, buona sera
Quando si va via: ciao, a presto, arrivederLa,
a domani, arrivederci, buona sera, buonanotte,
alla prossima volta

9

13 – 4 – 15 – 6 – 16 – 11 – 17 – 18 –19 – 7

10

Partenza

C	F	G	I	O	R	U	G
venti	otto	sei	venti	dieci	tre	sedici	cinque
I	A	H	R	S	T	Z	F
diciannove	diciotto	nove	undici	nove	diciotto	quindici	sette
B	O	P	L	S	I	O	L
due	diciassette	dodici	diciannove	otto	sette	tre	due
D	A	A	M	P	M	V	T
sette	sedici	tredici	uno	diciassette	sei	quattro	uno
E	L	L	N	Q	A	Q	A
dodici	quindici	quattordici	zero	dodici	cinque	quattordici	zero

Arrivo

Ciao, alla prossima volta!

11

Germania, buongiorno, ciao, macchina, giornale,
spaghetti, prego, zucchero, chitarra, lago, Garda, ragù,
piacere, arrivederci, cuoco, cuore, funghi, caffè

LEZIONE 2

1

2. Ciao, come va? Benissimo, grazie.
3. Come sta, signora? Bene, grazie. E Lei?
4. Questo è Piero, un mio amico. Piacere.
5. Franco parla l'inglese? Sì, molto bene.
6. Le presento il signor Fogli. Piacere, Monti.

2

una mia amica; il signor Vinci; spagnola; portoghese; molto lieta; questo

3

1. un; 2. il; 3. lo; 4. il; 5. una; 6. la; 7. l'

4

Io sono di/a Madrid/Bologna. Io abito a Madrid/Bologna. Maddalena fa la segretaria. Maddalena è di Bologna. Maddalena è a Madrid/Bologna. Noi lavoriamo a Madrid/Bologna. Noi lavoriamo in una scuola. Pedro è di Madrid. Pedro è a Madrid/Bologna. Pedro è medico. Piero e Lucia sono di Bologna. Piero e Lucia sono a Madrid.

5

1. Carlo. 2. No, è segretaria/fa la segretaria.
3. Sì, di Berlino. 4. No, è insegnante/fa l'insegnante.
5. È ingegnere. 6. No, è studente. 7. Jeanine.
8. Di Siviglia.

6

un   amico, architetto, ufficio, operaio, corso, ingegnere, ospedale, numero, negozio, signore
uno studio, studente
una signora, casa, libreria, segretaria
un' agenzia, amica, operaia

7

1. abitiamo; 2. sono; 3. lavora; 4. fa; 5. sono, lavoro; 6. abitate; 7. sta; 8. Siete

8

orizzontali: 3. OSPEDALE; 4. UFFICIO;
6. FARMACIA; 7. FABBRICA; 8. NEGOZIO
verticali: 1. RISTORANTE; 2. SCUOLA;
3. OFFICINA; 5. BANCA

9

1. Sono, ristorante; 2. fa, lo; 3. Siamo, banca; 4. figlio;
5. studiano, un, l'

10

12 81 32 6 – 81 40 89 – 68 18 1 24 – 9 3 3 2 1 7

11

orizzontali: 1. NOVANTA; 4. DODICI; 8. CENTO;
9. TRENTA; 10. SEI; 11. SETTANTOTTO;
12. OTTANTASEI; 13. TRE; 14. OTTANTOTTO;
15. SETTE; 16. ZERO
verticali: 2. VENTINOVE; 3. TRENTAQUATTRO;
4. DICIASSETTE; 5. DICIOTTO; 6. CINQUANTA-
DUE; 7. QUARANTANOVE; 10. SETTANTA

12

1. Chi è Pedro? Un mio amico di Madrid.
2. Quanti anni hai? 48.
3. Di dove sei? Di Palermo.
4. Che lingue parli? L'italiano e il greco.
5. Come stai? Non c'è male, grazie.
6. Dove lavorate? In una fabbrica.
7. Come ti chiami? Giuseppe.
8. Qual è il tuo indirizzo? Via Dante, 14.

13

1. Mi dispiace; 2. Grazie; 3. Piacere; 4. Come, scusi?;
5. Arrivederci

15

Franco parla bene il tedesco.
Lara è di Merano?
Questo è Guido?
Maria non è portoghese.
Hans è di Vienna?
La signora Rossetti non sta bene.
Lei è irlandese.
Sei tedesco?

LEZIONE 3

1
1. SPUMANTE; 2. CAFFÈ; 3. ARANCIATA;
4. CAPPUCCINO; 5. BIRRA; 6. LATTE;
Soluzione: MANCIA

2
singolare:	aperitivo – cappuccino – latte – limone – gelato – spremuta – crema
plurale:	marmellate – birre – bicchieri – pizze – aranciate – cornetti
singolare + plurale:	toast – tè – caffè – bar

3
1. prendiamo, un', una; 2. prende, un; 3. Prendete, una;
4. prendo, un, un; 5. prendi, Un, un; 6. prendono, un,
una

4
c, e, a, d, b

5
infinito	preferire	volere
io	preferisco	voglio
tu	preferisci	vuoi
lui, lei, Lei	preferisce	vuole
noi	preferiamo	vogliamo
voi	preferite	volete
loro	preferiscono	vogliono

6
1. voglio; 2. preferiscono; 3. preferiamo; 4. Vuole;
5. Volete; 6. preferisce; 7. vuoi; 8. preferisco

7
i gelati – la minestra – affettato – gli strudel – i – il –
caffè – il – bar – l' – gli – le fragole – il pesce – i

I nomi in -*a* hanno il plurale in -*e*.
I nomi in -*o* ed -*e* hanno il plurale in -*i*.
I nomi che terminano in consonante o con sillaba finale
accentata hanno il plurale uguale al singolare.

8
1. aceto; 2. tovagliolo; 3. aperitivo; 4. gelato; 5. macedonia

9
1. vuoi; 2. mi porta; 3. avete; 4. preferisce; 5. vorrei

10
1. bene; 2. buona; 3. buoni; 4. Buona, Bene; 5. buono;
6. buone, bene

11
Trattoria Pane e Vino
Cucina tipica
Specialità: Pasta fatta in casa
Sala non fumatori
Giorno di chiusura: Domenica
Menù del giorno € 20

12
b.
1. ʤ; 2. ʧ; 3. ʧ; 4. ʤ; 5. ʤ; 6. ʧ; 7. ʧ; 8. ʤ; 9. ʤ; 10. ʧ

LEZIONE 4

1
1. f; 2. a; 3. d; 4. e; 5. b; 6. c

2
dormo, dorme, dormiamo; gioco, gioca, giochiamo;
legge, leggete, leggono; vado, va, andiamo, vanno

a. Le coniugazioni di *dormire* e *leggere* sono uguali, a
parte la 2ª pers. pl. (*dormite, leggete*). La coniugazione di *giocare* ha una desinenza diversa alla 3ª pers.
sing. (-*a* invece di -*e*), alla 2ª pers. pl. (-*ate*) e alla 3ª
pers. pl. (-*ano* invece di -*ono*).

b. In *giocare*, alla 2ª pers. sing. e alla 1ª pers. pl. si mette
una *h* tra la *c* e la *i*; in questo modo la pronuncia
rimane la stessa.

c. In *leggere*, la *g* si pronuncia [g] alla 1ª pers. sing. e alla
3ª pers. pl., in tutti gli altri casi si pronuncia [ʤ].

3

1. stai, faccio, vado; 2. dorme, fa, va, gioca; 3. giocano, vanno; 4. fai, sto, leggo, navigo, ascolto, cucino

4

1. suona; 2. suoni; 3. Giochiamo; 4. gioco; 5. giocano; 6. suonate

5

1. faccio;
2. mi piace;
3. vado;
4. mi piacciono;
5. studio;
6. piace.

6

ho, sono, Abito, studio, piace, Amo, suono, vado, prego

7

1. piacciono; 2. piace; 3. piace; 4. piace; 5. piacciono; 6. piace; 7. piacciono

8

1. A Patrizia non piace ballare.
2. A te non piace Pavarotti?
3. Non ti piace l'arte moderna?
4. A me non piacciono i libri di fantascienza.
5. Non mi piace cucinare.
6. A Lei non piace l'opera?
7. Non Le piacciono i film italiani?
8. A noi non piace fare sport.

9

1. di, a, di; 2. di; 3. in, di, in; 4. all', al, a; 5. a, in, su

10

b. 1. Chi abita qui? 2. Queste sono due amiche di Chiara. 3. Quanti anni ha Carla? 4. Guido parla cinque lingue. 5. Loro guardano la TV o leggono un libro. 6. Anch'io prendo un bicchiere d'acqua.

LEZIONE 5

1

Avete ancora una singola per questa sera? (C); Quanto viene la camera? (C); A che nome scusi? (R); Nella camera c'è il frigobar? (C); Nell'albergo c'è il garage? (C); Per la conferma può mandare un fax? (R)

2

1. SINGOLA; 2. MATRIMONIALE;
3. PARCHEGGIO; 4. SETTIMANA;
5. DOMENICA; 6. DOPPIA; 7. COLAZIONE;
Soluzione: LOCANDA

3

bagno – doccia; cappuccino – colazione; cuscino – letto; fax – telefono; garage – parcheggio

4

1. c'è; 2. ci sono; 3. c'è; 4. ci sono; 5. c'è; 6. c'è

5

1. La camera è tranquilla?
2. È possibile avere ancora un asciugamano?
3. Quanto viene la camera doppia?

4. Avrei un problema, il frigobar non funziona.
5. Nella camera c'è il televisore?

6

potere: posso, puoi, può, possiamo, potete, possono
venire: vengo, vieni, viene, veniamo, venite, vengono

7

1. puoi, vengo; 2. Vengono, possono; 3. viene, può;
4. viene; 5. può

8

Tra, in, da, a, con, da, Per

9

da + il = dal; in + il = nel; in + la = nella;
in + l' = nell'; su + il = sul

10

1. Nel; 2. Nella; 3. nell'; 4. Nel; 5. dal; 6. al; 7. sul

11

prenotazione, singola, dal, al, Vorrei, balcone, saluti

LEZIONE 6

1

1. Ci; 2. –; 3. –; 4. ci; 5. ci; 6. –; 7. ci; 8. ci

2

degli alberghi cari; un negozio elegante; delle chiese famose; una chiesa interessante; delle città moderne; un edificio moderno; delle pensioni tranquille; una zona industriale; dei ristoranti eleganti; un mercato famoso

plurale in *-i*.
plurale in *-i*.
plurale in *-e*.

3

A Padova c'è una piazza tipica/antica; c'è un'università antica; ci sono dei ristoranti tipici/economici; ci sono delle trattorie tipiche; ci sono degli edifici antichi/tipici; ci sono degli alberghi economici/tipici.

Gli aggettivi in *–ca* hanno il plurale in *–che*.
Gli aggettivi in *–co* hanno il plurale in *–chi*, se l'accento cade sulla penultima sillaba, e in *–ci* se l'accento cade sulla terz'ultima.

4

a, per, di, da, a, a, al, per, del, dei, Da, nei, a, A

5

1. molte; 2. molto; 3. molte; 4. molto; 5. molto; 6. molta; 7. molto; 8. molto

6

1. c; 2. d; 3. e; 4. a; 5. b

7

1. sai; 2. sapete; 3. dobbiamo; 4. dovete; 5. sanno, devono; 6. devi; 7. so, devo; 8. sa

8

1. c'è; 2. dov'è; 3. c'è; 4. dov'è; 5. dove sono; 6. ci sono; 7. c'è; 8. Dove sono

Quando chiediamo un'informazione su un posto che conosciamo, diciamo *c'è/ci sono*? Quando chiediamo un'informazione su qualche cosa che non sappiamo se c'è, diciamo *dov'è/dove sono*?

9

1. no; 2. sì; 3. sì; 4. no; 5. sì; 6. no

10

	+ il	+ lo	+ la	+ l'	+ i	+ gli	+ le
a	al	allo	alla	all'	ai	agli	alle
da	dal	dallo	dalla	dall'	dai	dagli	dalle
di	del	dello	della	dell'	dei	degli	delle
in	nel	nello	nella	nell'	nei	negli	nelle
su	sul	sullo	sulla	sull'	sui	sugli	sulle

11

1. Alla, all'; 2. dall'; 3. dell', delle; 4. sulla; 5. nella; 6. alla, alla; 7. del, dei; 8. all', alla

12

Per arrivare all'università vai dritto e poi prendi la prima strada a sinistra. Attraversi una piazza, continui ancora dritto e poi giri a destra (all'angolo c'è un supermercato). Vai ancora avanti e al secondo incrocio giri ancora a destra, in via Calepina. L'università è lì di fronte a una grande chiesa.

1

sono andato/andata; avere; ho dormito; essere/stare; ho fatto; guardare; ho passato; pranzare; ho preferito; salire; ho studiato; tornare; sono uscito/uscita; visitare

2

1. Maria è stata al museo. Maria non ha avuto un momento libero. 2. Noi abbiamo guardato la TV. 3. Enrico è andato al cinema. Enrico è andato al museo. Enrico non ha avuto un momento libero. 4. Alessia è stata al cinema. Alessia è stata al museo. Alessia non ha avuto un momento libero. 5. Matteo e Paola hanno fatto un giro in barca. 6. Io ho dormito a lungo. 7. Federica e Roberta hanno fatto un giro in barca. Federica e Roberta sono tornate a casa a mezzanotte.

3

sei stata; hai fatto; Ho visitato; ho pranzato; ho passato; sei andato; sono salito; ho dormito

4

1. Stamattina ho fatto la spesa.
2. Ieri sera ho guardato la TV.
3. Domenica siamo andate in bicicletta.
4. Ieri notte ho dormito all'aperto.

5

1. Non ho avuto un momento libero.
2. Ieri Guglielmo ha passato una giornata molto intensa.
3. Hanno pranzato in un ristorante tipico.
4. Ieri Andrea e Fiorenza non sono stati al cinema.
5. Oggi Giuliano non ha dormito bene.
6. A luglio siamo andati in Portogallo.

6

1. molto interessante/interessantissimo;
2. molto moderno/modernissimo;
3. molto eleganti/elegantissimi;
4. molto sportiva/sportivissima; 5. molto famosa/famosissima; 6. molto intense/intensissime

7

regolare: andato, avuto, tornato, dormito · *irregolare*: messo, fatto, venuto, preso, stato, letto, rimasto

8

1. sei rimasto, sono andato, avete fatto, Abbiamo preso, siamo andati; 2. ha passato, Sono stata, ha visto; 3. hai fatto, Sono rimasta, ho lavorato, ho messo, ho cucinato, ho stirato; 4. Hai letto, ho ascoltato

9

1. a, in; 2. a, in; 3. in, a, in; 4. a, in; 5. in, a

10

1. ho mangiato; 2. sono andate; 3. è andato; 4. abbiamo preso; 5. ha letto; 6. ho fatto; 7. ha dormito; 8. è venuta

11

1. tutto il; 2. tutto il; 3. tutta la; 4. tutto il; 5. tutto il; 6. tutta la

12

fa; caldo; piove; vento; freddo

13

1. Ieri non ho lavorato. 2. Non ho visto niente. 3. Stanotte non ho dormito bene. 4. Non piove più. 5. Non ho avuto niente da fare. 6. Non vado mai a ballare. 7. Non fa più caldo. 8. Oggi Franco non è rimasto a casa.

14

1. qualche; 2. delle; 3. qualche; 4. dei; 5. qualche; 6. qualche; 7. qualche; 8. delle

1. ci sono stati dei temporali; 2. qualche passeggiata; 3. dei piatti tipici; 4. qualche museo interessante; 5. ci sono ancora delle nuvole; 6. degli alberghi non troppo cari; 7. delle bottiglie; 8. C'è ancora qualche trattoria aperta?

15

1. Non_ho_avuto_un momento libero. 2. Dopo cena sei stata_al cinema? 3. Guido_è_andato al mare per_una settimana. 4. Siete tornati_al_lago_anche_ieri? 5. Ho messo_in_ordine la casa. 6. Luca non_è venuto_a scuo-la. 7. Abbiamo dormito_in_un albergo in montagna. 8. Sei_andato_ad Assisi da solo o con_amici?

LEZIONE 8

1

1. carne; 2. uova; 3. pesche; 4. uva; 5. olio; 6. patate

2

un pacco di pasta, un pacco di riso; un litro di latte, un litro di vino; un chilo di carne macinata, un chilo di patate, un chilo di cipolle, un chilo di uva; un etto di carne macinata, un etto di salame, un etto di pro-sciutto; mezzo chilo di carne macinata, mezzo chilo di patate, mezzo chilo di cipolle, mezzo chilo di uva; sei uova, sei patate, sei cipolle, sei bistecche

3

1. Com; 2. Com; 3. Cl; 4. Cl; 5. Com; 6. Com; 7. Com; 8. Cl

4

1. dell'; 2. del; 3. del, delle; 4. dell'; 5. delle, delle; 6. della; 7. dei

5

1. Li; 2. Lo; 3. lo; 4. la; 5. La; 6. li; 7. Le; 8. le

6

1. La frutta la compro quasi sempre al mercato.
2. Il salame lo può affettare molto sottile?
3. Le olive come le vuole? Nere o verdi?
4. La pasta non la mangio quasi mai.

5. Il latte lo vuole fresco o a lunga conservazione?
6. I peperoni li compri tu?

7

1. le; 2. ne; 3. ne; 4. li; 5. lo; 6. ne; 7. ne; 8. la

8

lo; Le; ne; lo; Ne

9

1. si beve; 2. si possono; 3. si vendono; 4. si fanno; 5. si mangia; 6. si cucina; 7. si prende

10

Tagliare; rosolare; aggiungere; mescolare; salare; versare; cuocere

11

1. ARANCIA; 2. ASPARAGI; 3. CARCIOFO; 4. MANDARINI; 5. PEPERONE; 6. FRAGOLA; 7. AGLIO; 8. POMODORO;
Soluzione: CARRELLO

12

1. b; 2. p; 3. p; 4. b; 5. b; 6. p; 7. p; 8. b; 9. b; 10. p; 11. b; 12. p; 13. p; 14. b

LEZIONE 9

1

1. alle; 2. dalle, alle; 3. fra; 4. alle

2

1. il giovedì; 2. luglio; 3. la domenica; 4. aprile; 5. la primavera; 6. l'estate

3

sono, mi alzo, comincio, lavoro, torno, mi riposo, sono, ho, vado

4

tranquillamente; vero; tipicamente; semplice; elegantemente; regolare; particolarmente; naturale; industrialmente

5

1. tranquilla; 2. tranquillamente; 3. industriale; 4. industrialmente; 5. particolarmente; 6. particolare; 7. naturali; 8. naturalmente

6

ti lavi, ci laviamo, si lavano; mi vesto, si veste, vi vestite

7

1. ci alziamo; 2. si riposa; 3. si svegliano, si alzano, si vestono; 4. vi riposate; 5. ti alzi; 6. mi lavo

8

La mattina mi sveglio alle sette. Alle sette e dieci mi alzo, (poi) mi lavo e mi vesto. Alle sette e mezza faccio colazione. Alle otto esco di casa e vado in banca, dove lavoro. Comincio a lavorare alle otto e mezza. Fra l'una e le due faccio (sempre) una pausa per il pranzo. Alle cinque finisco di lavorare e torno a casa. (Prima) mi riposo un po', (poi) alle otto ceno. (Spesso) guardo la televisione o (a volte) leggo un po'. Alle undici vado a letto.

La mattina Luca si sveglia alle sette. Alle sette e dieci si alza, (poi) si lava e si veste. Alle sette e mezza fa colazione. Alle otto esce di casa e va in banca, dove lavora. Comincia a lavorare alle otto e mezza. Fra l'una e le due fa (sempre) una pausa per il pranzo. Alle cinque finisce di lavorare e torna a casa. (Prima) si riposa un po', (poi) alle otto cena. (Spesso) guarda la televisione o (a volte) legge un po'. Alle undici va a letto.

9

casa, macchina, colazione, cambiare, posto, pensione, TV, sabato, amici, mangiare, giocare, navigare

10

1. Tanti auguri! 2. Buon viaggio!/Buone vacanze! 3. Buon Natale! 4. Buon anno! 5. Buona Pasqua!

11

a. 1. t; 2. tt; 3. tt; 4. t; 5. t; 6. tt
b. 1. p; 2. pp; 3. pp; 4. p; 5. pp; 6. p
c. 1. mm; 2. m; 3. mm; 4. m; 5. mm; 6. m
d. 1. n; 2. nn; 3. n; 4. nn; 5. nn; 6. n
e. lati, mattina, città, vita, sete, sette;
   aperto, appetito, Giuseppe, pepe, troppo, dopo;
   commessa, come, mamma, amare, grammo, salame;
   mano, donna, persona, innamorato, compleanno, divano

LEZIONE 10

1

1. neri, celeste, bianca; 2. grigio, marrone; 3. verde, nera; 4. blu, rosa; 5. grigi, rosso; 6. gialle, azzurre, verdi, rosse

2

2. c; 3. f; 4. e; 5. a; 6. b

3

1. mi; 2. le; 3. Le; 4. gli; 5. ti; 6. mi; 7. Gli/A loro; 8. ti, Ti

4

1. quello; 2. quelli; 3. quelle; 4. quella; 5. quelli; 6. quelle

5

1. quel; 2. Quei; 3. quella; 4. quelle; 5. quegli; 6. quell'; 7. quei; 8. Quello

6

1. più lunghe; 2. più classico; 3. più eleganti; 4. più stretti; 5. più piccola; 6. più basso

7

2. aderentissimi; 3. larghissimo; 4. coloratissimi; 5. elegantissima; 6. carissime; 7. pesantissimi; 8. strettissima

8

1. pratici/comodi delle; 2. lungo del; 3. caro del; 4. comode/pratiche dei; 5. alcolica del; 6. grande dell'; 7. dolci delle; 8. freddo dell'

9

anellino, appartamentino, brillantino, gruppetto, lavoretto, negozietto, paesino, villino

10

1. francobolli, accendino; 2. mocassini; 3. vocabolari; 4. valigia; 5. prosciutto, yogurt

11

c: 1, 6, 8, 13; cc: 3, 9, 14; g: 2, 5, 7, 10, 12; gg: 4, 11, 15